"No hay muchos libros sobre el t
librados, prácticos y claros como este. La experiencia pastoral de Bryan
Chapell impregna estas páginas de una apreciación realista del corazón humano y un mensaje de esperanza que es compasivo y está centrado en Cristo. Este libro nos ayuda a entender por qué hacemos lo que hacemos y nos enseña cómo podemos vivir a la luz de la gracia de Dios. Gracias, Bryan, fue de gran ayuda para mí".

— **Donald S. Whitney,** profesor asociado de Espiritualidad Bíblica, decano asociado de la Escuela de Teología del Southern Baptist Theological Seminary; autor de *Disciplinas espirituales para la vida cristiana*

"Cuando el profeta habla en nombre del Señor y proclama: 'Mis caminos no son sus caminos' asentimos con la cabeza, pero asumimos que es imposible que sea así. Asumimos que somos más sabios que Dios, especialmente en cuanto a las cosas que van a motivar a Su pueblo a desear vidas santas. Asumimos que el mensaje de la gracia radical de Dios convertirá a las personas en pecadores radicales. Esto se debe a que, tal como afirma Bryan Chapell, no entendemos 'la dinámica del corazón'. ¿Qué se necesita para que el corazón desee amar? ¿Qué se necesita para que dejemos de pensar en nosotros mismos y pensemos en nuestro prójimo? El pastor Chapell tiene años siendo un portavoz de la gracia en mi propia vida, y él entiende realmente esa dinámica del corazón. Estoy muy agradecida por su vida de fidelidad y su trabajo, y porque ahora puedo recomendar este libro. Me encanta y creo que a ti también te encantará".

— **Elyse M. Fitzpatrick,** consejera; conferencista; autora de *Ídolos del corazón* y *Porque Él me ama*

"En *Gracia sin límites*, Bryan Chapell nos apunta a la asombrosa gracia de Dios. A muchos cristianos se les dificulta entender y aplicar la gracia de Dios en sus vidas personales. Es común que a la iglesia le cueste aplicar la gracia de Dios de manera colectiva. El mundo incrédulo necesita desesperadamente escuchar el mensaje de la gracia. Considerando todo esto, me alegra profundamente que exista un libro tan necesario como este ¡que, además de estar centrado en Cristo, es fácil de leer! ¡Muy recomendado!".

— **Tony Merida,** pastor principal, Imago Dei Church, Raleigh, Carolina del Norte; autor de *Ordinary* [*Ordinario*]

"Chapell explica cómo toda la vida cristiana, de principio a fin, es por gracia. El mensaje más profundo de la Biblia y del ministerio de Jesucristo es la gracia desbordante que Dios le extiende a pecadores. Esta buena noticia es necesaria para evitar el peligro de trivializar tanto la seguridad de salvación como la santificación. *Gracia sin límites* celebra la gracia de Dios en todos los aspectos de la vida al responder preguntas prácticas y honestas sobre cómo se aplica en la vida real".

— **Justin S. Holcomb,** sacerdote episcopal; profesor de Pensamiento Cristiano en el Gordon-Conwell Theological Seminary; coautor de *Is It My Fault?* [*¿Es mi culpa?*] y *Rid of My Disgrace* [*Libre de mi desgracia*]

"Una vez más, mi hermano y amigo hizo lo que sabe hacer tan bien en sus escritos. Bryan Chapell nos invita a ver y degustar las infinitas riquezas y las implicaciones transformadoras de la gracia de Dios. Este libro me entusiasma por muchas razones, empezando por la sabiduría invaluable que Bryan ofrece a los que temen enfatizar demasiado la gracia de Dios. Con la mente de un erudito y el corazón de un pastor, nos muestra que la gracia no se puede equilibrar con nada. Aunque ciertamente es posible usar mal la gracia de Dios, es imposible exagerar la importancia que le damos a lo que Dios ha hecho a nuestro favor a través de la vida, la muerte y la resurrección de Jesús. La gracia de Dios es lo único que puede motivarnos y capacitarnos para vivir y amar para la gloria de Dios".

— **Scotty Smith,** profesor residente, West End Community Church, Nashville, Tennessee

"Bryan Chapell nos muestra que el amor de Dios nos transforma de adentro hacia afuera. Las preguntas que nos recomienda llevar al texto bíblico (como *¿Qué me enseña este pasaje sobre Dios el Redentor?*) se las recomiendo a los maestros y líderes que tienen la tarea de enseñar la Palabra de Dios regularmente. ¡Deja que este libro te recuerde que lo que nos impulsa a obedecer a Dios es el poder de Su amor!".

— **Trevin Wax,** director editorial de The Gospel Project [El proyecto del evangelio]; autor de *Gospel-Centered Teaching* [*Enseñanza centrada en el evangelio*], *Counterfeit Gospels* [*Evangelios falsos*] y *Holy Subversion* [*Subversión santa*]

GRACIA SIN LÍMITES

GRACIA SIN LÍMITES

La dinámica del corazón que nos libera del pecado

e impulsa nuestra vida cristiana

BRYAN CHAPELL

Mientras lees, comparte con otros en redes usando

#GraciaSinLímites

Gracia sin límites
La dinámica del corazón que nos libera del pecado
e impulsa nuestra vida cristiana
Bryan Chapell

Traducido del libro *Unlimited Grace: The Heart Chemistry That Frees from Sin and Fuels the Christian Life* © 2016 por Bryan Chapell. Publicado por Crossway, un ministerio editorial de Good News Publishers; Wheaton, Illinois 60187, USA.

Poiema Publicaciones
info@poiema.co
www.poiema.co

Impreso en Colombia
ISBN: 978-1-950417-45-2
SDG   *211*

Buscando ser buenos mayordomos de la creación, Poiema se compromete a un uso responsable de los recursos naturales. Por tal razón, hemos preparado este libro con papel ecológico para cuidar el medio ambiente.

Para Kathy:

Eres una fuente desbordante de la gracia de Dios

para muchas generaciones y para mi propio corazón.

Contenido

Parte 2
LA DINÁMICA DEL CORAZÓN EN LA BIBLIA

Parte 3
RESPUESTAS A PREGUNTAS CLAVE SOBRE LA DINÁMICA DEL CORAZÓN

Prefacio

La temporada de mayor bendición en mi ministerio fue durante mis años en Grace Presbyterian Church en Peoria, Illinois. Me invitaron a ser pastor de esta iglesia histórica después de tres décadas de enseñanza y administración en el Covenant Theological Seminary en St. Louis. La oferta de la iglesia, una que no podía rechazar, tenía tres grandes atractivos. Primero, estaba cerca de donde vivían varios familiares y amigos. Segundo, me ofrecían el apoyo de un pastor ejecutivo y un director general, ambos encantadores; esto me liberaba de las tareas administrativas y me permitiría concentrarme en los ministerios que tanto amo de la enseñanza y la predicación. Tercero, y más importante, el liderazgo de la iglesia me pidió que les ayudara a ministrar la gracia del evangelio que había transformado sus vidas y la visión de la iglesia.

Durante muchos años, la iglesia fue de gran bendición para la comunidad. Se hizo mucho bien a medida que la iglesia crecía en estatura e influencia. Pero en algún punto, el crecimiento se detuvo, el estrés de la sobrecarga dividió a la congregación y los hijos adultos se marcharon. Los líderes pudieron haber culpado a otros, pudieron haber intentado aplicar la última tendencia para lograr un crecimiento de iglesia o incluso pudieron haberse ido ellos también. Pero no lo hicieron. En cambio, dijeron: "Confesamos que nos hemos vuelto orgullosos, nos hemos encerrado y enfocado en nosotros mismos. Necesitamos ayuda para aprender a liderar con humildad, para poder depender a diario del evangelio y realmente servir a otros en nombre de Cristo. Queremos que la gracia sea nuestra identidad, no solo nuestro título".

Estas palabras honestas de confesión y esperanza, más que cualquier otra cosa, nos llevaron a mi esposa Kathy y a mí a esta iglesia. Pensamos: "Este es el tipo de líderes con los que debemos estar para que nosotros mismos podamos entender mejor la gracia del evangelio". Así que hemos caminado junto con los amados miembros de nuestra iglesia para discernir cómo la gracia del evangelio puede transformar a una iglesia al liberar a las personas del pecado y avivar sus vidas con esperanza y gozo renovados.

La intención de este libro es reflexionar en lo que hemos aprendido juntos y enseñar los valores que anhelamos puedan guiar a los que se unan a esta labor por el evangelio. La frase "dinámica del corazón" en el subtítulo refleja la preocupación de muchos ante un ministerio que se enfoca en la gracia del evangelio. Muchas personas harán un cálculo espiritual rápido y concluirán que si solo enseñamos que Dios perdona el pecado, entonces las personas no tendrán ningún incentivo para alejarse del mal.

Siempre podemos responder a esta objeción recordando las palabras de Jesús: "Si ustedes me aman, obedecerán Mis mandamientos" (Jn 14:15). Nuestro Salvador sabía que la dinámica del corazón devoto es más fuerte que los cálculos de la mente dividida. Cuando experimentamos lo grande que es Su gracia hacia nosotros, nuestro corazón se une con el Suyo. Él cambia nuestra voluntad para que Sus prioridades se conviertan en lo que más nos alegra, lo que más amamos y lo que más procuramos. Las bendiciones de la gracia hacen que nuestro caminar con Jesús deje de ser una marcha forzada de méritos, ganancia o protección, para que empiece a ser una respuesta voluntaria de amor, gratitud y acción de gracias.

La primera parte de este libro nos lleva a descubrir cómo la gracia no solo nos libera de la culpa y de la vergüenza de una vida pecaminosa, sino que también aviva diariamente nuestro gozo, que es la fortaleza de la vida cristiana.

La segunda parte explica cómo los predicadores, maestros, consejeros, mentores, padres y todas las demás personas pueden identificar la gracia en cada porción de la Escritura. Mi esperanza es que todos puedan ver que la gracia no es algo secundario en la Biblia, sino que es un tema constante que culmina con el ministerio y el mensaje de Jesús. Al ver la gracia en toda la Escritura, evitamos caer en el error de usar la Biblia para promover un simple moralismo. La gracia nos motiva y nos capacita para vivir amando a Dios.

La tercera parte intenta responder preguntas comunes sobre cómo encontrar la gracia y cómo evitar que se abuse de sus bendiciones. Trato de dar algunas respuestas sencillas sin esquivar las preguntas difíciles.

La cuarta parte no está en este libro: es el capítulo que Dios está escribiendo ahora en nuestros corazones y en nuestras iglesias mientras intentamos descubrir qué tanto nos puede acercar el evangelio de la gracia al corazón de nuestro Salvador.

Parte 1

LA DINÁMICA DEL CORAZÓN EN NUESTRAS VIDAS

1

El regalo del Rey

Había una vez un rey que miró por la ventana de su palacio y vio a uno de sus hijos recogiendo flores en un campo distante. Lo vio formando un ramo con ellas y envolviéndolo con una cinta que tenía los colores de la realeza. El rey sonrió porque la cinta indicaba que su hijo estaba recogiendo las flores como un regalo para él. Luego, vio que el niño no solo recogió flores. De vez en cuando, el niño también recogía malezas del campo, hiedras del bosque y cardos de las orillas de las zanjas.

Para ayudar a este hijo en su labor, el rey le dio una misión a su hijo mayor, quien estaba sentado a su mano derecha. El rey le dijo: "Ve a mi jardín y corta algunas de las flores que crecen allí. Luego, cuando tu hermano venga con su regalo ante mi trono, saca de su ramo todo lo que no sea apto para mi palacio. Conviértelo en un ramo apropiado poniéndole las flores que he cultivado".

El hermano mayor hizo exactamente lo que su padre le había dicho. Cuando el hijo menor llegó ante el trono, su hermano sacó las malezas, las hiedras y los cardos, y los reemplazó con las flores del jardín del rey. Luego, el primogénito volvió a envolver la cinta real alrededor del ramo para que su hermano pudiera entregarle su regalo al rey. Con una gran sonrisa, el hijo menor se presentó ante el trono, le extendió el regalo y dijo: "Padre, este es un hermoso ramo de flores que preparé para ti".[1] Solo después entendería que su regalo se convirtió en algo aceptable gracias a la bondadosa provisión de su padre.

Gracia para las malezas

Esta antigua parábola nos recuerda la dulce gracia de nuestro Padre celestial. Cada uno de nosotros es el hijo que tiene el ramo lleno de las malezas de buenas obras. Aunque luchemos con energía y entusiasmo por honrar a Dios, nuestras obras nunca serán realmente dignas ante Su santo trono. Así que, en Su gracia, nuestro Rey eterno nos provee la santidad que Él demanda. Dios envió a Su Hijo eterno, Jesucristo, para hacernos aptos para el cielo.

La vida sin pecado, la muerte sacrificial y la resurrección victoriosa de Cristo son las flores perfectas que Dios preparó para sustituir la "maleza" de nuestros esfuerzos. Cuando descansamos en la provisión de Jesús y no en nuestras buenas obras ni intenciones, Él saca las obras defectuosas y pecaminosas del ramo de nuestra vida y las reemplaza con Sus perfecciones. Al presentarnos ante el trono celestial, todo lo que le hemos dado a Dios se convierte en un regalo apto gracias a la obra de Cristo a nuestro favor. La gracia de Dios provee las flores de Cristo, que son las que hacen que los ramos de nuestras vidas sean aceptables y agradables ante Él.

El propósito de este libro es identificar cómo la gracia afecta nuestra manera de entender la aceptación de Dios y, además, cómo esta impulsa nuestros esfuerzos por honrar a Dios todos los días de nuestras vidas. Las formas en las que la gracia hace que nuestra vida diaria sea más como la de Cristo no siempre son evidentes. Después de todo, aunque sabemos que la gracia salvífica es preciosa y que es un consuelo saber que Dios proveerá la santidad que demanda, podría parecer que esta seguridad nos permite hacer lo que queramos por ahora.

Si nuestra justificación no depende de nuestras obras, ¿significa eso que las obras en realidad no son importantes? Si Dios al final va a atribuirnos la justicia de Cristo, ¿por qué querríamos luchar contra la tentación y obedecer a Dios?

Los cálculos de la mente

La respuesta a estas preguntas demanda que reconozcamos que existen algunos problemas reales y prácticos con la declaración de que Dios reemplazará nuestras imperfecciones por la justicia de Cristo. La lógica de una mente calculadora la llevará a concluir: "Si al final Dios reemplazará mi mal comportamiento por las buenas obras de Cristo, entonces seguiré pecando". No tenemos que cantar: "Comamos y bebamos que mañana moriremos". En cambio, podemos sonreír diciendo: "Comamos y bebamos porque mañana Dios nos perdonará". La seguridad del perdón de Dios plantea el peligro de llegar a razonar como el personaje ficticio de W. H. Auden, el rey Herodes: "Me gusta cometer crímenes. A Dios le gusta perdonar crímenes. El mundo está ordenado de una forma realmente admirable".[2]

¿Cómo respondemos a ese tipo de lógica? Primero, debemos tener cuidado de no negar el evangelio al argumentar en contra de ella. Al decir a las personas que Dios *no* las perdonará, podemos asustar a algunos y lograr que tengan una buena conducta temporalmente, pero un mensaje como ese traiciona a Cristo. Jesús enseñó que Dios perdonaría por completo a todos los que creen que Él pagó la deuda por sus pecados

(Jn 3:16). Dios realmente perdonará a los que en verdad confían en que Él los perdona. Cada vez que acudimos humildemente a Dios y le pedimos Su gracia, Él nos la concede.

No puedes decir que un mensaje es cristiano si niega que la gracia de Dios es más grande que todo nuestro pecado y que siempre está disponible para cubrirlo. Puede que nuestra nueva obediencia nos permita *experimentar* el perdón de Dios, pero nunca será algo que nos *ganamos*. Dios no está esperando que seamos lo suficientemente buenos como para merecer Su misericordia y perdón. La Biblia enseña que los que confiesan genuinamente su necesidad de la misericordia de Dios son perdonados por completo (1Jn 1:9). Aunque nuestros pecados sean rojos como el carmesí, Dios nos limpiará y quedarán blancos como la nieve (Is 1:18). Él perdona a los asesinos, los adúlteros, los abusadores, los chismosos, los ladrones y los mentirosos (1Ti 1:8-16). Él nos perdona. Ningún pecado es superior a la provisión de Cristo para nosotros (Ro 5:20; 1P 2:24). Cristo saca las peores malezas del ramo de nuestra vida y las reemplaza con las flores fragantes del perdón eterno de Dios.

La dinámica del corazón

Así que si no podemos promover el buen comportamiento amenazando con que Dios no perdonará al que no se lo merezca, ¿cómo argumentamos en contra de la lógica manipuladora que está lista para abusar de la gracia de Dios? Tenemos que usar una fuerza más poderosa que la lógica pura: un impulso más motivante que los cálculos para determinar los niveles de ventaja, placer o ganancia personales. La fuerza que usa la Biblia para motivarnos y permitirnos servir a Cristo es la dinámica del corazón: el amor. Jesús dijo: "Si ustedes me aman, obedecerán Mis mandamientos" (Jn 14:15).

El apóstol Pablo hace referencia a esto cuando dice: "El amor de Cristo nos controla..." (2Co 5:14, NTV). Sin sentimentalismos ni disculpas, nuestro Salvador y Sus mensajeros abogan por la dinámica de un corazón agradecido, el cual es más fuerte que la lógica de mentes calculadoras. La sublime gracia de Dios hacia nosotros produce un amor tan grande por Él que nos lleva a querer agradarle y honrarle. Su misericordia despierta en nosotros una gratitud tan abrumadora que deseamos vivir para Él. El amor nos controla.

¿Hay algo más fuerte que este control? Nada. Y no se trata solo de apelar a las emociones. La motivación humana más poderosa es el amor. Es más fuerte que la culpa. Es más fuerte que el temor. Es más fuerte que las ganancias. ¿Qué hace que una madre regrese a un edificio en llamas? El amor por sus hijos. Ese amor es más fuerte que la autoprotección, la autopromoción o la supervivencia. Un amor así encuentra su mayor satisfacción y realización al proteger, promover y preservar a su objeto. El cristiano cuya prioridad principal sea amar a Dios es la persona con la mayor motivación y capacidad para servir y llevar a cabo los propósitos de Dios.

Aunque hay muchas motivaciones que nos impulsan —y muchas se recomiendan en la Escritura—, el fundamento y la prioridad de todo lo que se hace para Dios debe ser el amor por Él; de lo contrario, nuestra expresión de fe se convertirá inevitablemente en algún tipo de egoísmo que siempre nos dejará insatisfechos. Es por esto que Jesús enseñó que amar al Señor por encima de todo lo demás es el fundamento de nuestra fidelidad a Dios (Mt 22:37-38). Este amor no solo nos capacita para que nuestra satisfacción más profunda esté en agradar a Dios, sino que también es nuestra mayor fuente de fortaleza para hacerlo. Siempre enfocaremos los recursos de nuestro corazón, nuestra alma, nuestra mente y nuestras fuerzas en la cosa o persona que más amemos.

El poder de la gracia

¿Qué produce un amor tan poderoso? Eso es fácil de responder. La Biblia dice: "Nosotros amamos porque Él nos amó primero" (1Jn 4:19). La mayor expresión del amor de Dios fue la entrega de Su Hijo para que sufriera el castigo por nuestros pecados. Es a través del sacrificio de Jesús que somos perdonados y liberados para siempre de los estragos del pecado (Jn 15:13; 1Jn 3:15). Cuando comprendemos la grandeza de esta gracia divina hacia nosotros, la dinámica del amor se activa en nuestro interior. Y entre más percibimos Su gracia, más fuerte es nuestro amor.

Jesús enseñó que al que mucho se le perdona, mucho ama (Lc 7:47). La fuerza de nuestro amor dependerá de qué tanto reconocemos la culpa por nuestro pecado y el infierno del cual Dios nos rescató. Esta es una de las razones principales por las que Jesús y los apóstoles pasaron tanto tiempo advirtiendo a las personas sobre el infierno. Su meta no era asustarnos para que así fuéramos al cielo; la realidad es que eso no funciona, por razones que veremos más adelante. Su intención era llevarnos a apreciar profundamente el rescate eterno que Cristo nos provee. Por Su gracia somos librados de la esclavitud a las pasiones y deseos que nos dejan culpables, exhaustos y vacíos. Como resultado de nuestra liberación, anhelamos aceptar y honrar a nuestro Libertador, y es Su gracia la que nos permite hacerlo.

La dinámica del corazón enciende una devoción que controla y habilita más que cualquier cálculo mental de riesgos y recompensas. Las prioridades de un corazón renovado superan los juegos mentales que convierten el pecado en algo aceptable, aunque sea por una temporada. Cuando la gracia produce amor por Dios en nosotros, Sus prioridades se convierten en las nuestras. Lo que más nos satisface y alegra es servirle y honrarle. Como consecuencia, el apóstol Pablo declara con una confianza sorprendente y transformadora que la gracia de Dios "nos enseña a rechazar la impiedad y las pasiones mundanas. Así podremos vivir en este mundo con justicia, piedad y dominio propio" (Tit 2:12).

Un cambio de corazón

¿Cómo es eso posible? Si la gracia implica que nuestros pecados serán perdonados, ¿cómo puede restringir el mal comportamiento? ¿No crees que la gente dirá: "Bueno, ya que estoy asegurado por la gracia, ¡pequemos!"? La respuesta es que la gracia acerca el corazón de quien la recibe hacia el Dador.

La misericordia y el amor inclinan el corazón hacia las prioridades de Cristo. En un mundo lleno de gracia, las tentaciones no se van y las reglas no cambian, pero los deseos sí. La gracia de Dios cambia nuestros deseos.

Antes de experimentar la gracia de Dios, nuestra naturaleza nos inclina a ser hostiles e indiferentes hacia Él (Ro 8:7). Pero cuando Su bondad y misericordia se vuelven profundamente reales para nosotros, y al mismo tiempo percibimos profundamente que no las merecemos en absoluto, no deseamos nada más grande que amarlo a Él, amar lo que Él ama y a quienes Él ama.

No estoy diciendo que la gracia le quita todo el atractivo al pecado, sino que nuestro amor por él (lo que le da poder al pecado) es quebrantado gracias al amor superior que produce la gracia. Esta dinámica apunta al verdadero poder del cambio en la vida cristiana: a fin de cuentas, lo que más amamos es lo que nos controla.

Puede que un alcohólico odie las consecuencias de su adicción y ame intensamente a su familia, pero en el momento de la intoxicación, el licor es más importante. Puede que una mujer que sea adicta al trabajo ame a sus hijos con devoción, pero su amor excesivo por las recompensas de un trabajo la aleje cada vez más de ellos. Puede que un adúltero le diga a su esposa con toda sinceridad: "Ella no significa nada para mí, te amo a ti", pero en el momento de la infidelidad, ama más la pasión que a su esposa. Y puede que el cristiano que peca diga con toda honestidad: "Amo a Jesús", pero al momento de rendirse o rebelarse, ama más al pecado que al Salvador. Al final, somos controlados por ese amor superior.

El cambio real —es decir, el poder real sobre los patrones aparentemente incorregibles de pecado y egoísmo— viene cuando Cristo se convierte en nuestro amor preeminente. Cuando eso sucede, todo lo que le agrada y le honra se convierte en la fuente de nuestro placer más profundo, nuestra meta más alta y nuestro mayor esfuerzo. Honramos a Dios no solo por deber y determinación —ni para aplacar Su ira— sino porque nuestro deleite más grande es agradar a Aquel a quien más amamos. Como resultado, el gozo del Señor se convierte en nuestra fuerza (Neh 8:10).

Las cadenas de la adicción, los patrones de pecado y los hábitos de apatía que han sido forjados por otros amores son reemplazados por un amor superior hacia Aquel que nos salva del poder y de las consecuencias de pecado. Cuando nuestro mayor gozo es agradarle, nos dedicamos por completo a Sus propósitos.

Debido a esa pasión por las prioridades de Cristo, los cristianos han sufrido dolores intensos sin perder su paz, se han rodeado de posesiones sin que disminuya su pasión por Jesús, han soportado conflictos familiares con tal de mantener un testimonio de Su amor, han cantado himnos a sus torturadores para mostrar el corazón de su Salvador y se han alejado del pecado sin arrepentirse por el costo.

Ninguna lógica humana da lugar a estas prioridades. Sin embargo, el corazón entiende completamente esas decisiones y las lleva a cabo. En los siguientes capítulos veremos cómo las verdades sobre la gracia de Dios crean esta dinámica del corazón, cambiando el enfoque y las motivaciones de nuestras búsquedas en la vida.

2

Ser y hacer

¿Por qué la gracia es tan importante para la dinámica del corazón que produce una vida piadosa?

Para responder, primero tenemos que entender qué es la gracia. La gracia es el favor inmerecido de Dios, o como dijo Phillips Brooks: "Las riquezas de Dios a expensas de Cristo". Ya que Dios es completamente santo, no podemos ganar Su aprobación con base en nuestros esfuerzos. Él es perfecto; nosotros no (Ro 3:23). En nuestra humanidad pecaminosa, nos equivocamos constantemente, satisfacemos deseos egoístas o no logramos alcanzar los estándares de bondad que caracterizan la naturaleza santa de Dios. Así que para que pudiéramos comenzar una relación santa con Él, Dios entregó a Su Hijo celestial, Jesucristo, para que pagara el castigo justo que merecían estos fracasos y defectos (que la Biblia llama "pecados").

Ya que Jesús fue perfecto espiritualmente, Su muerte sacrificial en una cruz eliminó completamente la culpa de los que confían en Él para arreglar sus problemas con Dios. Jesús sufrió por nuestro pecado y el resultado se nos atribuye a nosotros: nuestra pizarra espiritual queda completamente limpia. Tenemos el estatus espiritual que tenía Jesús antes de que aceptara la vergüenza de nuestros pecados. Eso significa que somos santos a los ojos de Dios. Jesús llevó nuestros pecados y nosotros recibimos Su justicia (2Co 5:21). Es por eso que la gracia se trata de recibir las bendiciones más grandes de Dios a expensas de Cristo. Dios provee para nosotros lo que no podíamos proveer por nosotros mismos. Esa es la esencia de la gracia.

Limpiando con las manos llenas de lodo

Jesús no merecía ningún castigo porque no había cometido pecado alguno. Pero reflejando el cuidado de Dios, nuestro Salvador murió en una cruz y sufrió por los pecados de todos los que están dispuestos a admitir que necesitan Su ayuda. Dios no obliga a las personas a recibir Su cuidado. Si crees que no necesitas Su ayuda o no la quieres, eres libre de rechazar Su provisión para tus pecados. Pero este es el problema: los que tratan de hacerse aceptables ante Dios por medio de sus propios esfuerzos son como los que tratan de limpiarse una camiseta blanca con las manos llenas de lodo.

Las personas que no son santas no pueden hacerse aceptables ante un Dios santo. Es por eso que Dios provee la gracia de Jesucristo. Jesús tuvo que sufrir el castigo que merecían nuestros pecados para reconciliarnos con Dios. Al ver el pecado en el mundo, Dios no dice: "Bueno, no pasa nada. Simplemente voy a ignorarlo y dejarlo pasar". Aunque eso podría parecerle un acto de gracia a la persona cuyos crímenes son pasados por alto, el que ha sufrido por el mal reconoce que no sería para nada un acto de gracia que Dios ignorara todo el pecado.

Justicia de un corazón lleno de gracia

Una vez, uno de nuestros familiares fue atacado de una forma terriblemente cruel. El criminal fue arrestado y procesado, y no nos hubiera parecido "bueno" que el juez hubiera decidido no hacer nada al respecto. Un mundo sin justicia es un mundo sin gracia; lo que reina en un mundo así es la maldad. Entonces ¿cómo es que Dios muestra gracia sin dejar de lado Su justicia? Entregando a Su Hijo para que asuma el castigo que merecían nuestros pecados (Ro 3:23-26).

Dios *no* se quedó de brazos cruzados. Primero, se aseguró de que hubiera una sentencia justa por el pecado: Jesús sufrió en la cruz para recibir el castigo que merecíamos por nuestra maldad. Pero Dios no se quedó allí. Para poder ser justo y ofrecer gracia, también declaró que el castigo por el pecado no se tenía que pagar dos veces. La naturaleza celestial de Cristo y Su vida perfecta hicieron que Su sacrificio fuera un castigo suficiente a favor de todos los que aceptan a Cristo como sustituto. Dios no demanda castigo adicional luego de que estas balanzas de justicia son equilibradas (Ro 6:10; Heb 7:27; 10:12-18).

Pagado por completo

Como Dios es justo, Él no requiere dos castigos. Una vez se paga la deuda, no tiene que volverse a pagar. Y como Él está lleno de gracia, determinó que todos los que confiesen que necesitan y quieren que el castigo de Jesús sustituya el suyo, no tendrán más deudas que pagar. Ni ahora ni nunca (Heb 9:22-26).

Lo que debería ser claro de esta provisión de gracia es que la libertad del castigo por nuestros pecados es un resultado de la misericordia de Dios, *no* de nuestros méritos (Ro 9:16; Gá 2:16). Él decidió ser bueno con nosotros antes de que pudiéramos ser suficientes para Él (Ef 1:3-5). De hecho, la provisión de Cristo para nosotros se dio antes de que decidiéramos aceptar Su sacrificio a nuestro favor (1P 1:17-21; Ap 13:8). Así que ahora debemos reconocer que lo necesitamos y confiar en Su provisión, no en que nosotros seamos lo suficientemente buenos como para ganarnos el favor de Dios.

¿Qué le pasará al que ignora la provisión que tenemos en Cristo? En el día del juicio, tendrá que explicar por qué creyó que no necesitaba a Jesús. Tendrá que probar que es tan santo como Dios demanda para pasar una eternidad con Él. Pensar en esto es aterrador para todo el que haya comenzado a *percibir* sus imperfecciones y para los que *reconocen* su gran culpa. Pero eso ya no nos tiene que atemorizar. Si reconocemos que necesitamos a Jesús, Dios en Su misericordia promete librarnos del juicio por nuestros pecados y deficiencias; no porque nos hayamos ganado nuestra liberación, sino porque Jesús la ganó por nosotros.

La conversación interna que nos confunde

Entender esta misericordia, que es el fundamento de la gracia de Dios, nos ayuda a responder la pregunta con la que comenzamos este capítulo: "¿Por qué la gracia es tan importante para la dinámica del corazón que produce una vida piadosa?". La respuesta es que la gracia no solo promueve una devoción agradecida, sino que también acaba con el orgullo egoísta.

Las preguntas: "¿Estás bien con Dios? ¿Sabes que Dios te ama?" suelen desencadenar automáticamente un diálogo interno en las mentes de muchas personas. Por lo general, su diálogo mental es algo así: "Mmm. ¿Que si estoy bien con Dios? Bueno, veamos. ¿Cómo me va? ¿Me porté lo suficientemente bien ayer y hoy? ¿Cumplí con mis responsabilidades hacia otros? ¿Hice algo malo voluntaria o involuntariamente? ¿He dado la talla?".

La respuesta típica a la pregunta de si una persona está segura en el amor de Dios es una autoevaluación de su desempeño o competencia personal. Lo que vimos sobre la misericordia de Dios debería dar a entender por qué este diálogo interno está tan desviado. Aunque todos deberíamos preocuparnos por agradar a Dios con nuestro comportamiento, la Biblia deja claro que *no* es nuestro comportamiento lo que determina la aceptación de Dios; es Su misericordia (Tit 3:4-5).

Las buenas intenciones que nos contaminan

Nuestras buenas intenciones son inadecuadas no porque no haya nada bueno en ellas, sino porque no son lo suficientemente buenas. Nuestro Dios es santo y demanda santidad en Su pueblo (1P 1:16). La santidad es pureza absoluta. Lo que es santo no tiene ni una pizca de mal, amargura, egoísmo, orgullo ni desconsideración por otros. Puede que hagamos muchas cosas que demuestren bondad y cuidado, pero todavía nos quedamos cortos frente a los estándares de santidad de Dios. Es por eso que el profeta Isaías dijo en el Antiguo Testamento que nuestras mejores obras son como "trapos de inmundicia" (Is 64:4). Esta perspectiva no es exclusiva del Antiguo Testamento. Jesús también dijo que aun cuando hacemos todo lo que deberíamos hacer, seguimos siendo indignos de pertenecer a la familia celestial (Lc 17:10). El que ahora pertenece a la familia de Dios no lo logró por sus buenas obras, sino que lo recibió como un regalo al depender de la provisión de Cristo para nosotros.

La gracia que nos rescata

El apóstol Pablo enfatiza lo inapropiado que es pensar que Dios nos ama con base en nuestro comportamiento cuando escribió: "Porque por gracia ustedes han sido salvados mediante la fe; esto no procede de ustedes, sino que es el regalo de Dios, no por obras, para que nadie se jacte" (Ef 2:8-9). Dios nos acepta por Su gracia, no por nuestras obras. La mayoría de cristianos asienten con la cabeza al escuchar esta verdad tan conocida, pero en realidad no captan todo lo que esto implica en la vida cotidiana.

Esta es una de las implicaciones más evidentes: el buen comportamiento no te lleva al cielo ni te saca del infierno. Eso es algo revolucionario para las personas que buscan recibir la aceptación de Dios a través de su propia bondad. Pero ¿quiere eso decir que a Dios no le importa lo que hacemos? No. Significa que el buen comportamiento tiene que ser motivado por algo diferente a un supuesto pago o castigo por nuestro desempeño.

No podemos usar las buenas obras para asegurar nuestra entrada al cielo ni para evitar el infierno. Dios no se relaciona con nosotros con base en nuestras buenas obras, así que no tiene sentido decirle a otros que compren la aceptación de Dios con sus buenas obras si ya sabemos que esa moneda no circula en el Reino de Dios.

La relación que nos motiva

Pero si nuestra relación con Dios no se compra con buenas obras, ¿qué más nos puede motivar a hacer lo bueno? La respuesta es *la relación misma*.

Este era el problema del diálogo interno que vimos anteriormente: para responder la pregunta "¿Estoy bien con Dios?", la persona respondió: "Bueno, veamos. ¿Cómo *me va*?". En su mente, el estado de su relación con Dios dependía de qué tanto había alcanzado los estándares de Dios.

Ser antes de hacer

Una persona así confunde el "ser" con el "hacer". Lo que *somos* en una relación de amor con Dios no se determina por lo que *hacemos*. En cambio, lo que *hacemos* está determinado por lo que *somos*. Es por eso que el apóstol Pablo animó a los creyentes en Éfeso diciendo: "Imiten a Dios, como hijos muy amados" (Ef 5:1). El mandato a imitar a Dios (es decir, a ser santos como Él es santo) se basa en la relación familiar que Él ya ha establecido con nosotros por Su gracia. En esencia, Pablo dice: "Hagan que *lo que son* determine *lo que hacen*"; *no* dice: "Recuerden, *lo que hacen* determina *lo que son"* (ver Col 3:12-17). La identidad que establece la gracia de Dios determina nuestro comportamiento. Lo que somos determina lo que hacemos, ¡*no* al revés!

Lo que motiva nuestro comportamiento es la gracia de Dios. No podemos fabricar Su gracia por medio de nuestro comportamiento. Nuestra obediencia es una *respuesta* a Su amor, no un esfuerzo por ganarnos ese amor; es una oración de acción de gracias, no un soborno para recibir bendiciones.

Dios compró nuestra redención con la sangre de Cristo. Nuestra tarea ahora no es vivir como si eso no fuera suficiente, sino disfrutar las oportunidades de andar en la relación que Él ya aseguró. En capítulos posteriores exploraremos con mucho más detalle esta relación entre la identidad y la obediencia. Por ahora, basta con entender que la gracia que Dios nos extendió es la razón principal por la que le servimos.

Su gracia no le resta valor a nuestra devoción, sino que la impulsa.

Corazones antes que flores

Una de mis personas favoritas en la iglesia es alguien que conocí durante los primeros años de mi ministerio. Maudette había enviudado hace años, vivía sola y le encantaban las flores. Aunque su edad avanzada le impedía cuidar minuciosamente de su jardín, este producía una hermosa variedad de flores excepcionales que ella usaba para adornar la tarima de nuestra iglesia.

Maudette solo asistía a nuestra iglesia los domingos en la noche. En la mañana iba a los servicios de una iglesia a la que había asistido desde que era niña, pero donde tristemente se había dejado de predicar fielmente el evangelio. Maudette permaneció fiel a esa iglesia esperando que su influencia pudiera ayudar a que la generación de los predicadores jóvenes volviera a descubrir el evangelio. Pero asistía a nuestra iglesia en las noches para lo que llamaba su "dosis semanal de Biblia".

La diferencia entre las iglesias se hizo más evidente que nunca en el funeral de Maudette, el cual se realizó en su iglesia de infancia. Su pastor dijo algunas palabras para comenzar, alabando a Maudette por los muchos años que asistió fielmente a la escuela dominical. Luego me tocó leer la Escritura, y leí los pasajes que ella había escogido sobre la gracia de Dios para todos los que confían en Cristo.

Después, su pastor habló para homenajearla, asegurándole a familiares y amigos que Maudette estaba en el cielo porque asistía a la iglesia regularmente, era una persona dulce, tenía un jardín hermoso y compartía sus flores con la iglesia.

Luego, yo prediqué el sermón (a petición de Maudette), enfocándome en la verdad del evangelio de que somos salvos por gracia a través de la fe y no por obras (Ef 2:8-9). Me encantó contar que el aprecio de Maudette por la gracia incondicional de su Salvador había hecho que decorara la casa de Dios con amor por tantos años, aun después de que las cargas de la edad comenzaran a deteriorarla. Pero quería que las personas entendieran que la belleza era una expresión de su amor por Cristo, no un pago o un soborno para hacer que Él la amara más.

Más tarde, mi esposa dijo que asistir a ese funeral fue como ver a dos predicadores en un ring de boxeo. Uno lanzaba un gancho izquierdo de "buenas obras", y luego el otro lanzaba un derechazo de "evangelio". ¿Quién ganó? No sé quién ganó ese día. Solo sé que Maudette quería que el evangelio ganara en el día en que sus seres queridos enfrentaran la eternidad.

Su esperanza no estaba en sus flores, sino en su Salvador. Ella no quería que su posición ante Dios fuera determinada por lo que había hecho en su jardín. Las flores frágiles son hermosas, pero nuestra esperanza para la eternidad debe estar puesta sobre algo mucho más firme. Lo que hacemos no debe determinar lo que somos; lo que somos por la gracia de Dios debe determinar lo que hacemos.

3

Orden en la corte

Si confundimos el orden de *ser y hacer*, será inevitable que confundamos nuestra "justificación" con nuestra "santificación". Estas son palabras mayores con significados importantes para los cristianos. Es bueno entender lo que significan porque si se malinterpretan o se entienden al revés, las personas quedan con inseguridad, culpa y resentimiento perpetuos.

Dios nos hace justos a través de la justificación

Primero, definamos las palabras para poder entender por qué el orden es tan importante.

La "justificación" describe lo que hace Dios cuando decide perdonar nuestro pecado por Su gracia para que así podamos tener una relación santa con Él. Como envió a Jesús para que sufriera el castigo que merecíamos por nuestro pecado, somos justificados (es decir, declarados justos) ante Dios cuando reconocemos que Jesús pagó la deuda por nuestro pecado por medio de Su sufrimiento y muerte. Jesús recibió la condenación que Dios pudo habernos impuesto justamente. Cuando dependemos de esa misericordia para ser justos ante Dios, Él nos declara inocentes (es decir, justificados) sobre la base de la provisión de Cristo (Ro 10:9).

Para entender la justificación, imagina un tribunal donde el juez declara que se ha absuelto a una persona cuya pena o multa ya se pagó. Al evaluar nuestra deuda, que Cristo pagó por completo, Dios nos justifica y nos libera de cualquier castigo adicional. Y, ya que se elimina nuestra condición de culpables, nos volvemos inocentes —algo que solo tenía el Hijo antes de que Dios derramara Su gracia sobre los que confían en Él (2Co 5:21). La gracia justifica a los pecadores culpables para que su estado ante Dios sea el mismo de Jesús: libre de culpa.

Purificados a través de la santificación

La santificación se trata de ser santos como consecuencia de haber sido justificados. La justificación usa el lenguaje de un tribunal para ayudarnos a entender cómo la provisión de Jesús nos libera de la culpa. La santificación usa el lenguaje del templo del Antiguo Testamento para ayudarnos a entender cómo la provisión de Jesús nos hace puros, o santos.

En cierto sentido, somos santificados (es decir, purificados) en el mismo momento en que Dios nos justifica. Ya que hemos sido perdonados por un acto de la gracia de Dios, ahora somos santos para Él. Es por eso que el apóstol Pablo escribe: "Han sido lavados, ya han sido santificados, ya han sido justificados en el nombre del Señor Jesucristo y por el Espíritu de nuestro Dios" (1Co 6:11). El apóstol les dice a los creyentes que "ya han sido santificados" y "ya han sido justificados", pues eso fue lo que sucedió cuando el Espíritu Santo les permitió reconocer su necesidad de Cristo. Ya somos santos ante Dios porque la obra de Jesús nos limpió de nuestro pecado. La gracia de Dios ahora y por siempre nos declara santos y puros en

Su presencia (Ro 12:1; Col 1:22, 3:12). A esta realidad espiritual se le puede llamar nuestra santificación "aplicada": la pureza aplicada a nosotros.

Declarados santos

La santificación aplicada nos recuerda ciertos aspectos de las ceremonias que se llevaban a cabo en el templo (en el Antiguo Testamento), donde las cosas sucias o impuras se purificaban antes de ser usadas. Aunque nuestro pecado nos contamina, somos santificados por la gracia de Dios para que Él nos use según Sus propósitos santos. Es por esto que el escritor de Hebreos dice: "Somos santificados mediante el sacrificio del cuerpo de Jesucristo, ofrecido una vez y para siempre" (Heb 10:10). Dios no está esperando algún día futuro para considerarnos puros y preciosos ante Él.

Ya somos aptos para ser parte de Su familia y para llevar a cabo Sus propósitos porque ya hemos sido santificados por la obra de Cristo a nuestro favor.

Diseñados con un propósito santo

Ya que nuestra santificación refleja las formas en las que se purificaban las cosas antes de usarse en el templo, debemos entender que nuestro *estado* de pureza no es la única dimensión de la santificación bíblica. La santificación se trata de ser purificados para un *propósito*: promover la santidad en nosotros y en otros. Dios nos purifica para usarnos en el mundo.

Llamados a un progreso santo

Este objetivo santificador es un proceso continuo y progresivo. La meta sigue siendo nuestra santidad, pero el proceso avanza a lo largo de toda nuestra vida a medida que crecemos en semejanza a Cristo al entender y honrar cada vez más a Dios. Somos declarados santos para servir en santidad.

El escritor de Hebreos conecta el estado de pureza que Dios le da inicialmente a Sus hijos con nuestro progreso continuo en la santidad personal de esta manera: "[Él] ha hecho perfectos para siempre a los que está santificando" (Heb 10:14). Dios ya perfeccionó nuestro estado (hemos sido purificados por la obra de Cristo), pero eso significa que ahora Dios espera que actuemos según ese estado. El problema es que nuestro comportamiento y nuestras intenciones no son tan perfectos como nuestro estado. Todavía nos "está santificando". Así que aún queda trabajo por hacer para que nuestra vida refleje el estado de santidad que Dios ya nos concedió por Su gracia.

Cuando la gente describe la santificación (sea que usen ese término o no), la mayoría probablemente piensa en este progreso en la santidad personal. Piensan en la expectativa de Dios en cuanto a nuestro crecimiento espiritual y conductual. Eso es bueno. Nosotros esperamos que nuestros hijos maduren y no esperaríamos que Dios quiera menos para los Suyos. Pero si olvidamos cómo nuestra santificación progresiva se relaciona con la gracia de Dios, podemos caer en un grave error.

El barómetro de la bondad

Como sabemos que Dios espera que avancemos en nuestra santificación —que crezcamos en santidad personal— podemos comenzar a pensar que nuestro *progreso* determina nuestro *estado*. Comenzamos a basar nuestra justificación (nuestra *paz* con Dios) en nuestro progreso en la santificación (nuestro *crecimiento* en santidad personal).

Esta forma de pensar nos lleva a concluir que el amor de Dios por nosotros depende de si somos lo suficientemente buenos como para complacerlo. Convertimos nuestra bondad en un barómetro del cuidado de Dios, donde nuestro nivel de devoción determina el nivel de Su amor. Como resultado, nos preguntamos si estamos teniendo un mal día porque nuestro devocional no fue lo suficientemente largo, nos cuestionamos si nuestro hijo tiene leucemia porque no dimos suficiente dinero a la iglesia o si el infierno será nuestro destino porque dijimos una mala palabra.

Recordando que gracia significa gracia

Ese razonamiento hace que colapsen todas las verdades del evangelio. Debemos recordar que nuestra justificación (estar en paz con Dios) y nuestra santificación aplicada (ser hijos puros de Dios) nunca se determinan por lo que hacemos, sino por la fe en lo que Cristo ha hecho. Dios espera que nuestras obras santas sean una respuesta de amor a Su gracia, no un intento por ganarla. Si en algún momento de nuestra vida cristiana tuviéramos que ganarnos la gracia, no sería gracia.

El amor condicional nunca ayuda

Hay personas a quienes les preocupa decir que la obediencia no es un requisito para que Dios te acepte, pues creen que esto promueve la desobediencia. De nuevo, nuestra respuesta debe ser que la dinámica de un corazón agradecido es más fuerte que cualquier racionalización del pecado. El corazón que ha sido avivado por la gracia justificadora y santificadora de Dios anhelará servirle.

Por otro lado, el que cree que Dios nos ama solo cuando somos lo suficientemente buenos podría obedecer con más fervor, pero se le dificultará y casi inevitablemente fallará en amarlo. La dinámica del afecto espiritual se compara con las relaciones familiares. Si un padre promete amar únicamente cuando el comportamiento del hijo está a la altura, la respuesta del hijo pudiera ser la obediencia (o la rebelión o la desesperación), pero *no* será el amor. Por lo general, el amor condicional crea resentimiento y destruye nuestra capacidad de honrar el mandamiento fundamental de Cristo: "Ama al Señor tu Dios con todo tu corazón, con todo tu ser y con toda tu mente" (Mt 22:37).

Además, si el amor de Dios solo fuera para los que obedecen lo suficiente, entonces tenemos que preguntar qué es "suficiente" para un Dios *santo*, sobre todo tomando en cuenta que nos ha dicho que nuestras mejores obras son como trapos de inmundicia para Él (Is 64:6). Si un tiempo devocional de veinte minutos no es suficiente, ¿será "suficiente" uno de cuarenta? ¿Qué tanto debemos leer la Biblia, orar y asistir a la iglesia para cumplir el requisito si hacer todas estas cosas equivale a lanzar ropa sucia al cielo hasta que Dios nos ame? Si la ofrenda del primogénito de Abraham no era lo que Dios requería en Génesis, ¿qué sacrificio mío podría ganar la aceptación de Dios ahora (Gn 22:10-14)?

Dios provee lo que demanda

Dios responde las preguntas sobre la suficiencia de nuestra obediencia al ofrecer a Su primogénito para arreglar nuestra situación con Él (Jn 3:16). No nos llama a trepar sobre nuestras pilas de buenas obras para llegar al cielo. Desde las primeras páginas de la Escritura, el mensaje del evangelio nos llama a confiar en que Dios proveerá lo que demanda. El sacrificio del primogénito de Abraham no habría sido suficiente, y por eso Dios proveyó el sacrificio que Él requería —un carnero que prefiguraba a Cristo, atrapado providencialmente en un matorral— y Abraham llamó ese lugar “el Señor provee” (Gn 22:14).

La religiosidad que argumenta que debemos ganar o mantener el amor de Dios con nuestros esfuerzos santos en realidad deshonra la santidad de Dios (Éx 15:11; 1S 2:2). Sus estándares santos son tan altos como los cielos; Su pureza va más allá de la higiene de nuestros mejores regímenes espirituales. Creer que nuestros esfuerzos cumplen Sus criterios es un insulto a Él. A menos que Dios provea la santidad que Él demanda, no podremos alcanzarla. O, para regresar a la parábola con la que inició este libro, a menos que Dios provea las flores de Su justicia para los ramos de nuestras obras, estas no serán lo suficientemente santas para Él.

Expresando afecto a través de nuestra devoción

La buena noticia es que Dios ha provisto la santidad que necesitamos a través de la obra de Su Hijo (1P 2:24). Nuestra responsabilidad no es repetir la obra de Cristo, sino honrarla. Esto lo hacemos al confiar en la suficiencia de Su gracia y al responder a ella con vidas devotas. Esta devoción —expresada en vidas de servicio y alabanza a Él— no hace que Dios nos ame, sino que es la evidencia de nuestro amor por Él. Así que la gracia destruye nuestra confianza en la suficiencia de nuestros esfuerzos para ganarnos el amor de Dios, y a la vez aviva en nosotros el deseo de agradarle. La devoción a Dios resulta no un medio para ganarnos Su afecto, sino un medio para expresar el nuestro (1Jn 2:1-5).

Recibiendo la devoción con un deleite divino

Me encanta repetir la historia de un regalo que preparé para mi padre durante mis primeros años de adolescencia.

Una mañana estábamos en el bosque cortando madera para la chimenea. Comenzamos a serruchar un tronco que no sabíamos que estaba podrido por dentro. Así que cuando apenas habíamos comenzado a cortarlo, se rompió y cayó al suelo. Para mi imaginación adolescente, una parte rota de ese tronco podrido se parecía a la cabeza de un caballo.

Como el cumpleaños de mi padre era unas semanas después, tomé ese trozo de madera podrida, le clavé una tabla de madera, le até una cuerda, le pegué unos palitos para que funcionaran como patas y martillé parcialmente algunos clavos (para que quedaran salidos) en el extremo inferior de la tabla. Le puse un moño decorativo a mi creación y se la di a mi padre como regalo.

Mi padre vio el resultado de mi trabajo duro para él y dijo: "¡Es maravilloso! ¿Qué es?".

Le dije: "Es un portacorbatas, Papá. ¿Ves esos clavos que sobresalen al lado de ese caballo? Ahí puedes colgar tus corbatas".

Mi padre sonrió, tomó el regalo, lo puso contra la pared de su clóset (porque los palitos en realidad no lo mantenían en pie) y lo usó como portacorbatas durante años.

En el momento en que le di ese pedazo de madera podrida a mi padre, no podía estar más orgulloso. Pensé que mi obra de arte estaba lista para ser expuesta en un museo. Pero bastaron un par de años más para que mi perspectiva cambiara. Luego le dije: "Papá, ¿podrías deshacerte de ese pedazo de madera podrida?". Pero él lo había recibido con alegría, no porque el portacorbatas fuera bueno, sino porque *él* era bueno.

De la misma forma, Dios recibe las "buenas" obras que le ofrecemos no porque sean suficientemente buenas, sino porque Él es bueno. Por más que creamos que nuestros logros merecen Su honor, siguen estando manchados con nuestras imperfecciones, nuestras debilidades y nuestros pecados. Sin embargo, Dios los recibe, no porque nuestras obras sean lo suficientemente puras para un Dios santo, sino porque Él se deleita en recibir la evidencia de nuestro amor y en santificarla por la misericordia de Su corazón, no por los méritos de nuestro trabajo.

Ofreciendo más devoción para agradarle

La secuela de mi historia del portacorbatas de madera podrida es fácil de adivinar. Como mi padre había disfrutado mi regalo —a pesar de sus imperfecciones—, yo quería darle más. No me preocupaba tanto que mis regalos no fueran lo que debían ser. Más bien, quería ofrecerle lo que sabía que le agradaría. Su misericordia convirtió mi devoción en una alegría. Y el deseo de aumentar mi alegría y la suya hizo que el resultado previsible fueran más y mejores regalos.

Una pasión por Sus propósitos

La misericordia similar de nuestro Padre celestial despierta en nosotros una devoción hacia Él. Si creemos que podemos ganarnos Su amor o asegurarlo con nuestras obras, viviremos con un temor constante por Su juicio. El impulso de nuestro esfuerzo sería la incertidumbre. El terror nos agotaría. Lo más probable es que nuestro deseo de que Él se deleite sea reemplazado por un resentimiento al ver Su presión para que demos la talla o por un deseo desesperado de ganarnos Su aprobación. Así, por más contradictorio que pueda parecer, la gracia de Dios en realidad nos conduce a una pasión por Sus propósitos. Esto es precisamente lo que Jesús y Sus apóstoles dijeron que sucedería. Jesús enseñó: “Si ustedes me aman, obedecerán Mis mandamientos" (Jn 14:15). Pablo agrega que la gracia de Dios nos enseña a "vivir en este mundo con justicia, piedad y dominio propio" (Tit 2:11-12).

Por supuesto, donde no hay señal de devoción, no hay evidencia de un amor real por Dios ni una confianza en Su gracia. Y cuando la falta de devoción resulta en la disciplina de Dios, puede que malinterpretemos el deseo de Su corazón de que nos alejemos del peligro espiritual y corramos a Sus brazos (Heb 12:6-11). Por lo tanto, es correcto advertir a los que ni siquiera intentan honrar a Dios que no deben usar Su gracia como una excusa para pecar, y que los que andan en rebeldía podrían experimentar la disciplina de un Padre celestial amoroso. Pero ninguna de estas realidades implica que nuestro esfuerzo por la santidad es la base del amor de Dios por nosotros, o que nuestras debilidades lo alejan.

Cuando nuestra rebeldía enfría nuestro amor por Él y nos aleja, al arrepentirnos y regresar a Él nos daremos cuenta de que siempre está esperándonos con los brazos abiertos. Su pasión por nosotros reaviva e incrementa nuestra devoción a Él. Corremos hacia los brazos que se extienden para recibirnos.

4

Su cuidado precede Sus mandatos

¿Cómo puede ser que el Dios santo que demanda nuestra santidad no rechace a Sus hijos cuando pecan? La respuesta se encuentra en el recordatorio de que somos hechos santos no por nuestros esfuerzos sino por el Suyo. A todos los que hemos confiado en Cristo, Él nos ha justificado y nos ha declarado santos desde antes de nosotros empezar a progresar en nuestra santificación.

El acelerador de la obediencia

Tardé años para entender la constancia del cuidado de Dios. Pensaba que mi nivel de obediencia funcionaba como el acelerador de Su corazón: entre más justo yo fuera, más Él me cuidaría. Algunas veces me parecía que la Biblia apoyaba esta manera de pensar. Leía pasajes como este: "Por lo tanto, hermanos, tomando en cuenta la misericordia de Dios, les ruego que cada uno de ustedes, en adoración espiritual, ofrezca su cuerpo como sacrificio vivo, santo y agradable a Dios" (Ro 12:1). Pero la forma en que lo entendía era: "Por lo tanto, hermanos, tomando en cuenta la misericordia de Dios, les ruego que cada uno de ustedes, en adoración espiritual, ofrezca su cuerpo como sacrificio vivo *y entonces serán* santos y agradables a Dios".

Yo leía "santo y agradable" como si esas palabras describieran la consecuencia de que yo presentara mi cuerpo como sacrificio vivo a Dios. En esencia, entendía el versículo de esta manera: "Esfuérzate mucho por ser un buen sacrificio vivo, y así podrás ser santo y agradable a Dios". Convertí el ser santo y agradable a Dios en un resultado de mi comportamiento, es decir, tenía que hacer suficientes cosas buenas para ser un "buen" sacrificio vivo para Dios.

Pero eso no es lo que enseña este ni ningún otro versículo de la Biblia. El término "santo" debió haber sido una pista. En toda mi existencia terrenal, no habrá un solo momento en el que mi comportamiento cumpla con los estándares de la santidad de Dios. Todo mi ser y todas mis obras seguirán manchados por el pecado hasta que esté en la gloria con Jesús (Ro 3:23).

La declaración sobre la santidad

Lo que no entendía era que "santo y agradable" no describen lo que seremos; son una declaración de lo que somos. Ya somos santos y agradables a Dios. Pero nuestras mentes se llenan de preguntas ante una declaración como esa. ¿Cómo es que ya somos santos y agradables a Dios? Flaqueamos, fallamos y pecamos. Es más que evidente que no somos santos, y en verdad nos preguntamos si alguna vez seremos lo suficientemente buenos como para ser agradables.

El misterio se resuelve en las primeras palabras del versículo: "Por lo tanto, hermanos, *tomando en cuenta la misericordia de Dios"*. Ser santos y agradables para Dios es un resultado no de nuestros méritos sino de Su misericordia. Él nos ha santificado, ha lavado nuestra suciedad espiritual y nos ha dado la pureza de Su Hijo no porque seamos santos, sino porque Su misericordia nos concede la condición de Cristo.

Primero la identidad, luego los imperativos

En los versículos que le siguen a Romanos 12:1 hay muchos imperativos, es decir, estándares de santidad que debemos cumplir y obedecer. El apóstol hace una lista de responsabilidades individuales, colectivas, morales y civiles que los cristianos deben cumplir para poder honrar a Dios. Pero es crucial notar que Pablo identifica *quiénes somos* antes de decirnos *qué hacer*. Nos dice que somos el pueblo santo antes de decirnos que hagamos cosas santas.

La identidad santa va antes de los imperativos santos, y esto se debe a dos cosas: primero, es imposible que aquellos que no son santos hagan cosas santas (recuerda que es como tratar de limpiar una camiseta blanca con las manos enlodadas); y, segundo, el apóstol quiere que recordemos que hacemos lo que Dios quiere por lo que ahora somos en Él (no al revés). Él no nos convierte en lo que somos porque hacemos lo que Él quiere.

El orden del Antiguo Testamento

Este orden nunca varía en la Escritura: los imperativos se basan en nuestra identidad. Puede que varíe el orden de las palabras, pero los conceptos nunca se invierten. Incluso en el Antiguo Testamento, Dios no le dijo a Su pueblo: "Obedezcan y entonces consideraré convertirlos en Mi pueblo". En cambio, dijo: "Como los he convertido en Mi pueblo, obedézcanme".

Por ejemplo, antes de que Dios diera los Diez Mandamientos a Israel, le recordó a Su pueblo: "Yo soy el Señor tu Dios. Yo te saqué de Egipto, del país donde eras esclavo" (Éx 20:2;

Dt 5:6). Y luego les ordenó: "No tengas otros dioses además de Mí" (Éx 20:3; Dt 5:7), junto con todos los demás mandatos.

Primero, Dios le recordó al pueblo su identidad: eran un pueblo libre por Su gracia. Y luego les dio Sus mandatos. *No* dijo: "Obedézcanme y luego los liberaré de la esclavitud".

Los imperativos que Dios da en el Antiguo Testamento siempre se basan en la identidad que le da a Su pueblo. La obediencia siempre es una respuesta a la gracia de Dios, no una forma de ganárnosla.

El orden del Nuevo Testamento

Cuando los apóstoles escribieron sus epístolas a la iglesia primitiva, sus cartas también siguieron este orden. Primero escribían las porciones doctrinales de la carta, explicando las formas en que la gracia de Dios santifica a Su pueblo y lo hace Suyo (estableciendo así su identidad). Y luego, en la siguiente porción de cada carta, los escritores aplicaban esas verdades a la forma en la que el pueblo debía vivir (estableciendo así los imperativos). De nuevo, los imperativos para el pueblo se trataban de vivir de una manera que reflejara la identidad que la gracia de Dios ya había provisto para ellos.

Implicaciones en la actualidad

Nosotros honramos los mandatos de Dios como consecuencia de la gracia que nos convierte en Sus hijos amados. Nuestra identidad determina lo que hacemos; lo que hacemos no determina nuestra identidad. Los imperativos que honramos se basan en la identidad que ya tenemos, y ese orden no es reversible. Las implicaciones prácticas de esta verdad sencilla cambian todas las relaciones de los que deciden vivir conforme a patrones que son coherentes con el evangelio.

La manera en que leemos la Escritura

Primero, el orden de la identidad y los imperativos cambiará nuestra manera de leer la Biblia. Ya no volveremos a abrirla para primero determinar cuál deber o doctrina tenemos que aprender para hacernos aceptables ante Dios. En cambio, nos alegraremos al discernir cómo Dios ha santificado a Su pueblo y nos ha habilitado para obedecerle, para que Sus mandatos sean las vías por las que podemos correr para honrarle, no para llegar a Él. Después de todo, lo que hace que el mensaje cristiano sea único es que Dios tuvo que venir para convertirnos en Sus hijos. Ya que no podíamos llegar a Él, Él vino a nosotros.

Todas las demás religiones enseñan que de alguna forma (por medio de un esfuerzo corporal, mental o de la voluntad) la humanidad debe alcanzar a Dios. El cristianismo dice que eso no es posible. Dios tiene que llevarnos a Él. Es por eso que la historia de la torre de Babel está al comienzo de la Biblia, diciéndole a todas las generaciones siguientes que tratar de construir su propia "escalera al cielo" *no* es la forma de llegar a Dios (Gn 11).

La manera en que enseñamos la Escritura

Además, el orden de la identidad y los imperativos cambiará nuestra manera de enseñar la Biblia. Ya no seremos tentados a decirle a los niños: "Si te portas bien, Jesús te amará". Aunque lo digamos con dulzura o con buenas intenciones, reconoceremos que va en contra del evangelio y que es una herramienta de Satanás.

Jesús no ama a ninguno de Sus hijos (jóvenes o ancianos) porque sean buenos. Ama a Sus hijos porque *Él* es bueno. Cuando aún éramos Sus enemigos, Cristo se entregó por nosotros (Ro 5:10). Por más dulces que puedan sonar las palabras de que Dios nos ama porque somos buenos y por más eficaces que puedan ser para lograr que la culpa produzca un buen comportamiento en los hijos, esas palabras son un veneno espiritual. El mensaje de que Jesús nos ama porque somos buenos niega que la cruz fuera necesaria y suficiente. El hijo que obedece a Jesús para asegurar Su amor será el adulto que duda del amor de Cristo cuando las tentaciones y los retos de la vida dejen bien claro que no siempre somos buenos hijos.

La manera en que tratamos a nuestros hijos

La forma en que tratamos a nuestros hijos también cambia cuando el orden correcto de la identidad y los imperativos comienza a gobernar nuestras palabras y acciones. Antes de que mi esposa, Kathy, y yo entendiéramos que la gracia crea la dinámica del corazón que nos motiva como creyentes, disciplinábamos a nuestros hijos como todos los que nos rodeaban. Yo le decía a mi hijo: "Colin, eres un niño malo porque desobedeciste".

Las palabras salen tan fácilmente y son tan comunes que no me daba cuenta del problema. El problema era que yo estaba basando la identidad de Colin en sus actos. Cuando hacía algo malo, le decía que eso era lo que era: ¡un niño malo! Pero basar su identidad en lo que hacía no era el evangelio. La buena noticia que Jesús vino a compartir con nosotros es que nuestra identidad está determinada no por nuestra obediencia a Dios, sino por la relación que Su gracia nos provee.

Para que mi corrección reflejara los principios del evangelio que creo (y que quería que Colin creyera), tenía que cambiar mis palabras. Comencé a decir: "Colin, no hagas eso. Tú eres mi hijo y te amo". Yo quería que sus acciones se basaran en su identidad (el hijo que amo), no que su identidad se basara en sus acciones. Sus acciones pueden cambiar; su identidad familiar no. Él siempre sería mi hijo y yo quería que esa realidad inclinara su corazón a seguir los caminos de su padre. No quería que lo que hiciera determinara lo que él era; quería que lo que él era determinara lo que hiciera.

La manera en que tratamos a nuestros cónyuges

Las perspectivas del evangelio también cambiaron la forma en que Kathy y yo nos tratábamos el uno al otro. Soy un hombre lo suficientemente estadounidense (formado por las imágenes de las películas de John Wayne, Harrison Ford y Johnny Depp) como para reaccionar en una de dos formas cuando hay tensiones en nuestro matrimonio: enojarme o ponerme tenso. Y ya que se supone que los predicadores no deben enojarse, tiendo a hacer lo segundo, esperando que ella *capte el mensaje* por medio de mi silencio.

Pero por más que quiera alabar mi dominio propio, mi trato silencioso y agresivo no es más coherente con el evangelio que perder los estribos. Sigo tratando de comunicar un mensaje con mi silencio, tratando a Kathy según lo que ha hecho. En efecto, estoy basando el carácter de nuestra relación (quienes somos) en el fracaso que percibo en ella (lo que ha hecho). Esto también invierte el orden de la identidad y los imperativos.

La Escritura nos dice que debemos ver y tratar a nuestros cónyuges como coherederos de la gracia de la vida (1P 3:7, LBLA). Estamos en un pacto matrimonial que se supone que debe ser determinado no por las acciones inmediatas de alguna de las dos partes, sino por un compromiso previo de cada uno de mantener una relación de amor. Aunque ciertamente hay tensiones y frustraciones con las que debemos lidiar, debemos hacer ese trabajo basándonos en el pacto que compartimos, no en los errores que cometemos. Siempre habrá cosas que resolver, pero lo hacemos sobre la base del amor y el respeto mutuo que prometimos compartir, no sobre la base de los errores que inevitablemente cometeremos.

La manera en que tratamos a los demás

Los mismos principios aplican en nuestras relaciones con los demás en nuestra iglesia. Nos inclinamos a tratarlos como ellos nos tratan. Si son amables con nosotros, somos amables con ellos. Y sin son antipáticos con nosotros, hacemos una de dos: buscamos formas de pagarles con la misma moneda o los ignoramos. Pero, de nuevo, al hacerlo definimos a las personas y nuestra relación con ellas sobre la base de sus acciones.

De acuerdo con la Escritura, nuestros hermanos en Cristo son miembros de Su cuerpo. Si fuéramos capaces de ver más allá de los ojos que están enojados o exasperados con nosotros, veríamos a Jesús habitando en esas personas. Cristo quiso que nos relacionáramos con ellos sobre la base de nuestra relación eterna con Él —y con ellos—, no sobre la base de las tensiones temporales entre nosotros.

De nuevo, no estoy sugiriendo que esas tensiones son irrelevantes. Estoy diciendo que la identidad de esas personas en Cristo está por encima de su comportamiento, y que debemos buscar formas de acercarnos y corregir errores en ellos y/o en nosotros mismos.

El contraste del evangelio

El patrón del evangelio que prioriza las relaciones por encima de las acciones (es decir, la identidad por encima de los imperativos) y las presenta como la motivación principal para la obediencia diaria es sumamente difícil de mantener. La razón es que las vidas de la mayoría de personas a nuestro alrededor gira en torno a un sistema de recompensas por buen comportamiento.

Si cumples o sobrepasas las expectativas portándote bien en el trabajo, te pagan más y te ascienden a un mejor puesto. Si tu desempeño es bueno en algún deporte o en el ámbito musical, obtienes las primeras posiciones y más aplausos. Muchas familias funcionan ofreciendo o reteniendo afecto según el cumplimiento de las expectativas (si te portas muy bien, serás muy amado). En demasiados casos, lo que hacemos determina la forma en que los demás nos perciben... y tal vez la forma en que nos vemos a nosotros mismos.

El evangelio contradice todas esas formas de ver nuestra relación con Dios y con otros. Aunque Dios honra y atesora nuestra obediencia, no es la razón por la que somos importantes para Él. Es Su misericordia, y no nuestros méritos, lo que nos hace Sus hijos. Nuestro nivel de obediencia no determina Su afecto ni nuestro valor. De nuevo, recordemos que nuestras mejores obras solo son "trapos de inmundicia" para Él (Is 64:6). Esto significa que Cristo debe ser el que nos abra el camino hacia nuestro Padre celestial (Jn 14:6). Es la obediencia de Jesús, no la nuestra, la que determina nuestra relación con Dios (Heb 7:25-27).

Nuestra obediencia no determina lo que somos. Su gracia sí. Por amor a Dios, debemos tener el deseo de honrar Su gracia y no tratar de pagar por ella. Nuestras buenas obras muestran nuestro amor por Él, pero no logran que Él nos ame. Su cuidado precede Sus mandatos y nuestros intentos por cumplirlos. Pero si para Él es importante, para nosotros también lo es. Y ese cuidado se convertirá en la motivación y el poder para vivir el evangelio. Esto es lo que consideraremos en los próximos capítulos.

5

La familia triunfa sobre el fracaso

Imagina que te despiertas un día, le hablas a tu cónyuge o compañero de vivienda y él o ella no te responde. Por más fuerte que sea tu tono de voz y por más animados que sean tus gestos, esa persona realiza sus rutinas matutinas sin notar tus intentos por llamar su atención. Podrías comenzar a preguntarte: "¿Será que ya no estoy en este cuerpo? ¿Estoy muerto?".

El apóstol Pablo no tenía esa duda, sino que declaraba cómo esta era la realidad de todo cristiano (aunque nuestros cuerpos estén vivos). Ya que nuestras luchas, esfuerzos y obras no son las razones por las que Dios nos ama, cuando se trata de nuestra capacidad de cambiarnos a nosotros mismos para ser aceptados por Dios, es como si estuviéramos muertos. Pablo reconoció esta idea diciendo que estaba "crucificado con Cristo" (Gá 2:20[a]). Eso suena terrible, pero en realidad es una buena noticia. Significa que la "buena" vida que él había estado viviendo, la cual no podía justificarlo ante un Dios santo, no había sido la razón por la que recibió la atención y el afecto de Dios. Para Dios, estaba igual de muerto que el cuerpo de Cristo en la cruz. De esta forma, Pablo se vio a sí mismo unido a Cristo en la cruz.

En realidad, a Pablo le alegraba estar unido a Cristo de esta forma, ya que significaba que sus pecados pasados de persecución a la iglesia primitiva no le serían contados. Estaban clavados en la cruz de Cristo porque Pablo se identificaba con Jesús allí.

Pero sus crímenes pasados no fueron lo único que quedó invalidado; también sus obras "justas". Estas nunca habían sido lo suficientemente justas para los estándares santos de Dios. Pablo conocía lo suficientemente bien los mandatos de Dios como para entender "que nadie es justificado por las obras que demanda la ley" (Gá 2:16). Así que sabía que para estar bien con Dios tenía que confiar en algo que no fueran sus esfuerzos.

Las obras de personas muertas

Ese "algo" era alguien: Jesús. Pablo explica: "... también nosotros hemos puesto nuestra fe en Cristo Jesús, para ser justificados por la fe en Él y no por las obras de la ley" (Gá 2:16). La fe en Aquel que nos permite estar bien con Dios, y no la fe en nuestras obras, es la base de nuestra relación con Él. Nuestros esfuerzos están escondidos detrás de los de Cristo, y esas son más buenas noticias porque las obras de personas muertas son inútiles ante Dios.

En esencia, Pablo nos está recordando que nuestro destino está atado completamente a Cristo. Ya que los esfuerzos de nuestra vida no son la razón por la que Dios nos acepta, dependemos del sacrificio de Cristo para ser reconciliados con Dios. De esa forma, estamos unidos a Su muerte.

La vida del pueblo de Cristo

Pero ese no es el final de la historia. Pablo agrega: "Lo que ahora vivo en el cuerpo, lo vivo por la fe en el Hijo de Dios, quien me amó y dio Su vida por mí" (Gá 2:20[c]). Jesús "dio Su vida" como sacrificio por nuestro pecado para que viviéramos por fe en *Su* obra y no en la nuestra. Pero el sacrificio no es el fin de la historia. Jesús se levantó de entre los muertos. Está vivo. ¿Y dónde vive ahora? Pablo dice: "Cristo vive en mí" (Gá 2:20[b]).

El mismo Jesús que venció la muerte y está intercediendo por nosotros a la diestra de Dios (Ro 8:34) también vive en nosotros ahora a través de la presencia del Espíritu Santo, quien es Su representante (Jn 14:16-20). Así que todavía estamos unidos espiritualmente a Cristo. Esto tiene dos consecuencias asombrosas: un nuevo poder y una nueva identidad.

Un nuevo poder

Este nuevo poder es nuestro porque el mismo Espíritu que levantó a Jesús de los muertos ahora mora en nosotros. La fuerza de esta victoria espiritual fluye por nuestro cuerpo mortal, permitiéndonos llevar a cabo los propósitos de Dios (Ro 8:11). La vida de Cristo nos da la capacidad de cambiar los patrones del pasado y de luchar contra los pecados que nos asedian. Todo lo que ahora hacemos por Cristo y a través de Cristo cambia el curso de nuestras vidas y contribuye a los propósitos de Dios, para Su deleite y nuestra bendición.

Una nueva identidad

La bendición más grande que recibimos gracias a que Cristo mora en nosotros es nuestra nueva identidad. No somos capaces de complacer a Dios con nuestros esfuerzos humanos, pero Jesús está vivo en nosotros por Su Espíritu Santo, así que ahora tenemos Su identidad. Es Su vida, no la nuestra, la que cuenta ante Dios. Su Espíritu brilla a través de nosotros y estamos escondidos detrás de Su gloria (Col 3:3-4). Esto significa que toda la sabiduría, la santidad y la justicia de Jesús se nos atribuye a nosotros por gracia.

Una nueva vestimenta. El apóstol Pablo explica: "... ustedes están unidos a Cristo Jesús, a quien Dios ha hecho nuestra sabiduría —es decir, nuestra justificación, santificación y redención— para que, como está escrito: 'Si alguien ha de gloriarse, que se gloríe en el Señor'" (1Co 1:30-31). La identidad de Cristo ahora reemplaza la nuestra ante de Dios.

Estamos vestidos con Su justicia, escondidos en Su pureza; Su Espíritu mora en nosotros y estamos rodeados de Su redención. Él no solo está en nosotros, sino que estamos "unidos a Cristo Jesús" por la gracia de Dios. Por lo tanto, no nos gloriamos en nuestra bondad, sino en lo que nuestro Señor hace en nosotros y a través de nosotros (Jn 14:20; Ro 13:14; 1Co 1:31).

Una nueva familia. Al gloriarnos en Él, Él nos atesora. Debido a que estamos unidos no solo a la muerte de Cristo sino también a Su vida, todo lo bueno de Jesús se vuelve parte de nuestra identidad delante de Dios. Dios incluso nos llama hijos, por lo que somos hermanos de Jesús.

El apóstol Juan escribe: "¡Fíjense qué gran amor nos ha dado el Padre, que se nos llame hijos de Dios! ¡Y lo somos!" (1Jn 3:1). ¡Dios te ama tanto como ama a Jesús! ¡Piensa en eso! Dios conoce todas nuestras debilidades, dudas, temores y pecados, pero nos ama tal como ama a Su propio Hijo (Ro 8:29). Sé que eso suena increíble, pero es posible porque nuestro ser pecaminoso está muerto delante de Dios y ahora nuestra vida es Cristo (ver Col 3:4).

Las bendiciones de la familia de Cristo

Gracias a que estamos unidos a Cristo, tenemos muchas bendiciones especiales. La principal es la promesa de que Dios no está esperando que cumplamos algún estándar de perfección para amarnos plenamente. Gracias a que las perfecciones de la vida de Cristo determinan nuestro estado espiritual, nada en nosotros puede arruinar el amor de Su Padre por nosotros (Jn 14:20).

Un amor inmutable

Debido a que estoy unido a Cristo, el amor de Dios por mí no cambia (Lam 3:22-23; Sal 25:6-7). Dios no me amará más si me porto mejor. No me va a amar menos si tropiezo. Su amor no depende de mi comportamiento, sino de mi unión con Su Hijo; una unión edificada sobre la confianza en Su gracia, no en mi bondad.

Por medio de esa unión, tengo la identidad de Cristo y no puedo recibir más amor, pues ya soy amado infinitamente como Él. Y gracias a esa unión no seré menos amado, pues la base del amor de Dios es la vida de Cristo, no la mía. El Padre celestial me ama tanto como ama a Jesús, y eso nunca cambiará (Ro 8:38-39).

Un amor que transforma

A medida que mis hijos se iban a la universidad, les contaba a cada uno la historia del día en que salí de casa. Mi padre me llevó en su auto a una universidad que nunca había visitado, en un pueblo que no conocía. Al comienzo estaba emocionado, pero mientras avanzaba nuestro viaje, sentía que la magnitud del cambio y el riesgo que implicaba eran abrumadores. Y entonces dejé de hablar.

En algún punto, mi silencio le habló a mi padre y me preguntó: "¿Estás asustado?". Y asentí con la cabeza. Entonces salió de la autopista, se estacionó y se volteó a verme. "Hijo mío, no sé qué sucederá en esta escuela. No sé si te va a ir bien o mal. Pero eres mi hijo y eso nunca cambiará. No importa lo que pase, en mi casa hay un lugar para ti".

Mi padre dejó claro que ser parte de su familia estaba por encima de cualquier fracaso. Ese mensaje me animó, me fortaleció y me sostuvo en medio de muchas pruebas y muchos problemas durante mis años universitarios e incluso después. Y cuando le contaba esta historia a mis propios hijos, también quería que la seguridad de su relación familiar les diera un punto de apoyo para enfrentar cualquier temor o fracaso que pudieran tener. Así es como nuestro Padre celestial quiere que nuestra unión con Cristo nos fortalezca y nos sostenga. Es la forma en que quiere que nos animemos unos a otros, reflejando la seguridad de estas verdades del evangelio.

Un amor injusto

Sin embargo, cuando mi hija menor, Katy, fue a la universidad, estaba decidida a no dejar que ningún temor o ansiedad demostrara que necesitaba que le aseguráramos algo así. El día en que la llevamos a la universidad, no hizo más que charlar y sonreír mientras la inscribíamos en sus clases y llevábamos sus cosas a su nuevo dormitorio.

Incluso mientras mi esposa y yo entrábamos al auto para irnos, su rostro solo mostraba alegría. Pero después de darle el último abrazo, la miré a los ojos y le dije: "Katy, quiero que recuerdes lo que mi padre me dijo a mí. No importa lo que suceda aquí, si te va bien o te va mal, eres mía y eso nunca cambiará. Nuestra casa siempre será tu casa".

Con eso fue suficiente. Su sonrisa se desvaneció. Se sonrojó. Con ojos llorosos, me abrazó con fuerza y me dijo: "Ay, Papi, sabes que eso no es justo".

Por supuesto que no es justo. Es gracia.

6

Conoce el camino

Yo vivo en la "Tierra de Lincoln", esa región de Illinois donde inició la carrera política de Abraham Lincoln. Aquí, las leyendas y los hechos sobre este gran hombre están tan entremezclados que es difícil saber qué es verdad. Pero todas las historias de su vida reflejan los principios que lo impulsaban y que aún conmueven nuestros corazones.

Uno de esos relatos dice que él reunió sus pocas ganancias como abogado en el campo e hizo la oferta más alta para comprar a una esclava en una subasta. Luego de comprarla, la liberó inmediatamente.

Luego ella le preguntó: "Sr. Lincoln, ¿de verdad me va a liberar de estas cadenas?".

"Sí", le respondió.

"¿Está diciendo que ya no tengo que seguir a un amo?".

"Sí. Puedes ir a donde quieras".

"Entonces quiero irme con usted".

La esclavitud del corazón

Sea cierto o no, el relato muestra verdades que entendemos bien. La gratitud por la libertad de la esclavitud despierta una lealtad hacia el que libera. Jesús enseñó lo mismo cuando instó a los que liberó del pecado a permanecer en Su Palabra (Jn 8:31-36). El apóstol Pablo dice aún más explícitamente: "Pero gracias a Dios que, aunque antes eran esclavos del pecado, ya se han sometido de corazón a la enseñanza que les fue transmitida" (Ro 6:17).

Esta es la dinámica del corazón en términos bíblicos: la libertad de la esclavitud al pecado produce una obediencia de corazón a los estándares de Dios. Nos comprometemos con las palabras y los caminos de Dios con gratitud de corazón por Su misericordia hacia nosotros.

La necesidad de saber

Pero el deseo de mostrar nuestra lealtad y amor a Dios crea un nuevo problema. ¿Cómo podemos anhelar los estándares de Dios si no sabemos cuáles son?

Imagina a un predicador que describe hermosamente cómo Dios entregó a Su Hijo para pagar el castigo por nuestro pecado y luego llama a todos Sus hijos a honrar a Cristo como respuesta a Su amor. La reacción natural de todos los que entendieron el sacrificio y la victoria de Cristo a su favor sería preguntar: "¿Cómo puedo honrar a Cristo?".

Ahora imagina al mismo predicador respondiendo con los brazos cruzados, sacudiendo la cabeza y con una actitud de desdén: "No te lo voy a decir". Todo el que lo escuche se angustiaría de inmediato. Dirían: "¡Qué crueldad! ¿Por qué no nos dices cómo honrar a nuestro Señor?".

Si el predicador respondiera: "Porque Él no los va a amar más por las obras que hagan", todos fruncirían el ceño y dirían: "¡Eso no tiene sentido!". El deseo de honrarlo no desaparece al saber que no podemos ganarnos el amor de Dios con nuestra obediencia. Aunque la gracia nos quita la preocupación por ganarnos el amor de Dios, no elimina nuestro anhelo de mostrarle nuestro amor.

Queremos honrar a Aquel que nos ha liberado de la esclavitud del pecado. Pero para poder mostrar nuestra devoción a Cristo, tenemos que saber cómo honrarlo.

El conocimiento es poder

El poder para obedecer a nuestro Señor demanda que sepamos lo que le honra. El conocimiento es poder. No podemos hacer la voluntad de nuestro Salvador si no sabemos lo que quiere. Si cuando enseñamos sobre la gracia el pueblo de Dios permanece ignorante o es insensible a los estándares de Dios, le estamos negando a ese pueblo el deseo de su corazón.

El salmista escribió:

> ¡Cuánto amo yo Tu ley!
> Todo el día medito en ella (Sal 119:97).

No podríamos deleitarnos de esa manera en los estándares de Dios si Su cuidado hacia nosotros dependiera de qué tanto cumplimos con esos estándares. En ese caso, solo podríamos ver a Dios como un árbitro que frunce el ceño desde los márgenes de nuestra vida. Viviríamos con el temor constante de que toque algún silbato celestial y asigne penalidades cuando nos salimos de los límites. Y como sabemos que el único estándar aceptable de obediencia para un Dios santo es la perfección, esperaríamos bastantes penalidades. Su ley solo nos haría temer, no deleitarnos en ella.

El conocimiento da seguridad

El salmista se deleita en los estándares de Dios porque estos revelan el carácter y el cuidado del Señor. Los principios de la ley de Dios establecen un camino bueno y seguro para Su pueblo. Dios dice, en efecto: "Si te mantienes en este camino, encontrarás lo que es mejor para ti en la vida y estarás a salvo del peligro espiritual". Este camino *no* es algo que tememos; más bien, es la guía que todos los creyentes buscamos en la vida. ¡Qué bendición que Dios ya lo preparó para nosotros!

Ya que es el camino seguro y bueno, la ley de Dios es una dulce provisión para Su pueblo (Sal 19:10; 119:103). El camino no hace que nos ganemos Su gracia, sino que es una expresión de ella. Así que negarle al pueblo de Dios la enseñanza de este camino bueno y seguro en realidad sería no mostrarles gracia (no mostrarles bondad ni preocuparse por ellos).

La ley del amor

El tipo de enseñanza que presenta la ley de Dios como algo contrario a Su gracia realmente no entiende cómo funciona la dinámica del corazón en la Biblia. Aunque es verdad que el amor de Dios por nosotros no depende de nuestra obediencia a Su ley, eso *no* significa que los estándares de Dios sean malos, irrelevantes o que se deban ignorar. Cuando mis hijos eran pequeños, aunque mi amor por ellos no dependía de que permanecieran lejos de la autopista junto a nuestra casa, yo esperaba que se quedaran detrás de la cerca de la casa de todas formas. Los estándares de Dios reflejan una preocupación similar por nuestra seguridad en todas las etapas de la vida.

Dios nos ama lo suficiente como para decirnos: "Si mientes, las personas no van a confiar en ti", y: "Si no eres fiel a tu cónyuge, vas a destruir a tu familia". Estos estándares (y todos los demás mandatos de Dios) son expresiones de amor para los que recibimos Su cuidado. Guardamos y enseñamos los mandatos de Dios porque Él promete que Sus estándares nos ayudan y le honran.

El camino de bendición

Podemos experimentar más plenamente las bendiciones de Dios cuando andamos por el camino de justicia que nos describe Su Palabra. Para la mayoría de nosotros, la mayoría de veces, obedecer a Dios nos lleva a tener buenas relaciones y comodidad material (Mt 6:30-34). Sin embargo, no siempre es así, ya que estas no son las únicas bendiciones que Dios quiere darnos.

En este mundo caído, todos —incluso los que obedecen fielmente los mandatos de Dios— experimentarán alguna medida de sufrimiento (2Co 4:17-18; 1P 5:9). Las bendiciones de Dios no siempre se pueden definir según lo que atesora la mayoría en el mundo. No todas las personas fieles tienen vidas fáciles y libres de preocupaciones. De hecho, Jesús les prometió a Sus discípulos que serían perseguidos (Jn 15:20).

Las bendiciones de vivir para Cristo siempre incluyen el ser capaces de vernos en el espejo sin ninguna vergüenza y de poder tener gozo y paz espiritual a pesar de nuestras circunstancias (Ro 14:17). Estas son bendiciones que el mundo no puede dar ni retener. Podemos vivir sin vergüenza porque Jesús tomó nuestra culpa y nos dio Su identidad. Vivimos más allá de la ansiedad de las circunstancias actuales con la seguridad de que Dios dispone todas las cosas para bien y promete una eternidad de gloria y paz en Su presencia (Ro 8:18-21, 28). Confiamos en que esto es así no porque sea evidente en nuestras circunstancias, sino porque Dios nos mostró Su carácter en la cruz (Ro 8:32). Confiamos en el camino designado por la mano que nos entregó a Jesús.

Así que obedecemos a Dios aunque parezca que eso nos pone en desventaja, porque creemos que este es un universo moral y que hacer lo que Dios requiere al final es lo mejor para nosotros y para los que Él ama. Si nadie estuviera dispuesto a vivir de una forma noble y sacrificial por amor a la justicia, todos en el mundo sufrirían sin conocer la vida de paz y plenitud espiritual que ofrece nuestro Señor Jesucristo.

El camino del placer

Aunque no haya beneficios tangibles en esta vida, obedecemos a Dios porque Sus estándares reflejan Su propia justicia y carácter santo. Al vivir para Dios en situaciones donde no obtenemos una ganancia evidente, demostramos nuestra devoción a Él. Mostramos que vivir para Él es mejor que inclinarnos ante las presiones y prioridades del mundo. Honramos lo que es honorable en Él porque nada nos da más placer.

Al final, vivir de acuerdo con los estándares de Dios —sin importar los desafíos o las tentaciones— demuestra que creemos que caminar cerca de nuestro Salvador es mejor que cualquier cosa que pueda ofrecer este mundo. Él es lo más hermoso que hay y nos alegra poder separarnos de cualquier cosa que nos distancie de Él o lo deshonre.

El camino de la paz

Aunque la obediencia a los estándares de Dios no es una condición para que Él nos ame, esta sí afecta la forma en que experimentamos Su gozo y paz a diario. Si nos salimos de Su camino, donde hay seguridad espiritual, no debería sorprendernos que haya consecuencias causadas por nosotros mismos o que

Dios nos discipline con amor para volvernos a traer al camino seguro.

Esa disciplina nunca demuestra que dejó de amarnos; más bien, es una prueba de Su amor. Si no nos amara podría simplemente dejarnos vagar y enfrentar un mayor daño. Así que, incluso mientras sufrimos por la disciplina más fuerte que pueda traer el cielo, no estamos recibiendo menos amor (Heb 12:6-14). La mano divina que disciplina solo está haciendo que volvamos a los brazos que nos abrazan y nos protegen eternamente. Pero ya sea que las pruebas sean o no una disciplina, ninguna puede debilitar el amor que actúa para traernos paz eterna y gozo eterno con Dios.

Los propósitos bondadosos de Dios nos ayudan a entender por qué el cambio saludable en la vida cristiana requiere que conozcamos Sus estándares. Fuera de Sus mandatos no tenemos una guía para experimentar la paz y el gozo que Dios desea darnos.

El conocimiento por sí solo es destructivo

Este contexto de los mandatos de Dios también nos explica por qué la simple instrucción moral o doctrinal suele ser tan destructiva para la vida cristiana. Si lo único que hacemos es enseñar a las personas a portarse bien o a ser más precisas doctrinalmente, es inevitable que concluyan que su relación con Dios es una consecuencia de su conducta o competencia. No lo es. Nuestra relación eterna con Dios es una consecuencia de haber confiado en la muerte y resurrección de Cristo. Y en nada más.

Aunque nuestra conducta y destreza son importantes para poder disfrutar plenamente de nuestra relación con Dios, estas no establecen ni mantienen Su amor. No nos volvemos hijos de Dios ni conservamos esa posición por ser buenos o por saber mucho.

Aquí no estoy argumentando que una vida malvada y una doctrina herética son intrascendentes para Dios. Las personas que se mantienen aferradas a cualquier forma de incredulidad suelen tener una experiencia muy pobre de su relación eterna con Dios y muchas dudas en cuanto a la misma, aun cuando Él los sigue amando (veremos más de esto en el cap. 21). Pero debemos preocuparnos igualmente por aquellos que reciben una dieta constante de enseñanzas sobre el deber y la doctrina sin que se les recuerde continuamente el amor de Dios.

Los peligros del deber y la doctrina

Al enseñar el deber y la doctrina sin la gracia, solo habrá dos tipos de respuesta en el ser humano: orgullo y desesperación. Si lo que le enseñamos con más frecuencia a nuestros hijos, a otros creyentes o a nosotros mismos es: "Debes ser mejor" o "Debes refinar más tu doctrina", entonces el resultado no será la santificación progresiva sino el deterioro progresivo de la salud espiritual.

El orgullo de "solo pórtate bien". Esta es la razón. Un joven rico que una vez se encontró con Jesús respondió a un mensaje de "solo pórtate bien" (Mr 10:17-22). El joven se acercó a Jesús en el camino y le dijo: "Maestro bueno... ¿qué debo *hacer* para heredar la vida eterna?" (10:17, énfasis añadido). Jesús entendió inmediatamente las implicaciones de la pregunta. No "heredamos" nada gracias a lo que hacemos. Heredamos cosas como resultado de nuestro nacimiento y de lo que alguien más ha hecho. Similarmente, heredamos la vida eterna solo como resultado de haber nacido de nuevo al confiar en lo que solo Cristo ha hecho por nosotros (Jn 3:3, 7, 16).

Tristemente, el joven no captó la ironía en la pregunta, así que Jesús extendió la conversación. Primero, se refirió al saludo del joven: "¿Por qué me llamas 'bueno'? Solo Dios es 'bueno'" (Mr 10:18, parafraseado). Después Jesús habló de lo que se requería para que el joven fuera lo suficientemente bueno para Dios: guardar los mandamientos. En esencia, Jesús dijo: "Si tu pregunta es *qué* debes hacer para ganar la vida eterna, entonces obedece todos los mandamientos".

El joven contestó precisamente de forma incorrecta. En respuesta al reto de Jesús de obedecer los mandamientos de Dios, el joven afirmó: "Lo he cumplido todo desde que era niño" (10:20, parafraseado). Jesús acababa de decir: "Solo Dios es bueno". Y ¿de qué se jactó el joven cinco segundos después? Básicamente declaró: "Yo también soy bueno". Él se atribuyó lo que Cristo dijo que solo le pertenece a Dios. Y al atribuirse esa posición, el joven quebrantó el primero de los Diez Mandamientos (el más importante para los judíos): "No tengas otros dioses además de Mí" (Éx 20:3).

Jesús estaba guiando al joven hacia el camino de la humildad, pero él tomó el camino del orgullo. Jesús mostró que el orgullo es una posible respuesta humana a esos mensajes que simplemente nos mandan a portarnos bien. En vez de ser quebrantado por los requerimientos santos de la ley (por ejemplo, ser absolutamente recto en comportamiento, ser exhaustivamente riguroso en la disciplina, ser completamente correcto en la doctrina), la persona simplemente dice: "Lo he cumplido todo". Y lo que realmente quiere decir es: "La verdad es que no necesito la gracia de Dios para vivir como Él demanda".

Por supuesto, el problema al afirmar que ha guardado todos los mandamientos es que la Palabra de Dios enseña que nadie es perfectamente recto ni capaz de hacer todo lo que

Dios demanda (Ro 3:10). Si quebrantamos un solo mandamiento, en realidad —en cierta medida— los hemos quebrantado todos (Stg 2:10). Todos están conectados. Sin la gracia, la instrucción moral y doctrinal nos aleja de Dios; fue por esto que el joven que estaba tan seguro de su bondad al final se alejó de Jesús (Mr 10:22).

La desesperación de "solo pórtate bien". La otra posible respuesta a los mensajes que simplemente nos llaman a portarnos bien es: "No puedo". Eso es desesperación. Las personas evalúan los requerimientos reales de un Dios santo y simplemente se rinden. Concluyen con toda razón: "No puedo hacer todo lo que Dios demanda".

Esta actitud se refleja inicialmente en las palabras del centurión romano que quería que Jesús sanara a su siervo. A pesar de que el oficial militar tenía bastante poder y una buena posición, le dijo a Jesús: "Señor, no merezco que entres bajo mi techo" (Mt 8:8). Él reconoció que no había nada en su vida que mereciera la ayuda de Jesús. No era lo suficientemente bueno como para recibir la misericordia de Jesús.

Pero ese no es el final de la historia. A continuación, el centurión le dijo a Jesús: "Pero basta con que digas una sola palabra, y mi siervo quedará sano" (Mt 8:8). En lugar de confiar en su bondad o sus habilidades, le pidió a Jesús que se encargara de todo. Rechazando los poderes y privilegios que tenía como oficial romano, el centurión decidió depender solamente de Cristo y así lo honró por encima de todo.

De la dependencia al deseo

Eso es lo que se supone que debe suceder. Depender de la gracia de nuestro Dios no quiere decir que honrarlo sea irrelevante. Más bien, Su gran misericordia hace que el deseo de nuestro corazón sea honrarlo. Conocer los requisitos que Él nos da para honrarlo nos da una gran parte del poder que necesitamos para satisfacer ese deseo. Es por eso que estudiar la Palabra de Dios, aprender de otros creyentes y ser guiados por el Espíritu Santo son tan importantes para permanecer en el camino que Dios ha diseñado a fin de que tengamos vidas de gozo y paz. El mero hecho de saber qué nos bendice y honra al Señor es una provisión preciosa de la gracia de Dios.

Sin embargo, hay algo más que necesitamos saber, una fuente aún más poderosa de transformación espiritual, como veremos en el próximo capítulo.

7

Conócete a ti mismo

Para vivir como Dios quiere, necesitamos conocer Su camino bueno y seguro. Pero eso no es lo único que necesitamos para lograr cambios de vida que honran a Dios y nos bendicen. Tener buenas instrucciones no garantiza que las cumplamos.

Los maestros de la Biblia descubren fácilmente que, casi siempre, la mayoría de personas ya saben qué es lo que Dios demanda. Es difícil encontrar a alguien que se sorprenda de que Dios demande honestidad, bondad, pureza, fidelidad y así sucesivamente. Aun así, las personas escogen caminos diferentes.

¿Será que el crecimiento en la piedad consiste en aplicar grandes cantidades de determinación para permanecer en el camino que conocemos? Aunque ciertamente necesitamos ejercitar nuestra voluntad, eso no será suficiente. La fatiga, el error, la distracción o el atractivo de otros caminos pueden hacer caer al más determinado. Los días buenos que estimulan nuestra determinación a permanecer en el camino de Dios no son infinitos.

Reconoce que eres humano

Conocernos a nosotros mismos —nuestras fortalezas, debilidades, inclinaciones, susceptibilidades— también es necesario para andar por el camino que Dios ha diseñado para bendecir nuestras vidas. Lo primero que necesitamos saber sobre nosotros mismos es que somos humanos. Sé que eso parece evidente, pero si no entendemos lo que implica ser humanos, no estaremos preparados para los desafíos de permanecer en el camino de Dios.

Eres vulnerable

La primera implicación de ser humanos es que somos vulnerables a la tentación. Podemos pensar que nuestro carácter, antecedentes, educación o determinación nos hacen inmunes a los ataques de Satanás que experimentan los demás, pero eso sería un grave error.

Los adolescentes inmaduros suelen actuar como si creyeran que son inmortales, invencibles e infértiles, pero los creyentes maduros no deben ser tan ingenuos. El apóstol Pablo escribe: "Ustedes no han sufrido ninguna tentación que no sea común al género humano" (1Co 10:13). Todo ser humano es susceptible a la tentación. Por naturaleza, todos somos vulnerables y luchamos con el pecado.

Al comienzo de mi vida cristiana, me consolaba esta idea de la lucha compartida. En mi mente, eso significaba que no había uno sola tentación en mi vida que no fuera experimentada por otras personas en algún lugar del mundo. Me alegraba saber que no estaba solo. Ese consuelo sigue siendo una bendición, pero mi visión ya no es tan limitada. Ahora entiendo que el apóstol quería decir que no hay lucha en los corazones de otros que yo no comparta en mayor o menor grado. No hay envidia, ni lujuria, ni ira, ni codicia ni ningún otro pecado cuyas semillas no estén también en mí. Y en ti.

Si esto suena improbable, debemos recordar (como mencionamos anteriormente) que la Biblia dice que cuando quebrantamos uno de los mandamientos de Dios, en realidad los transgredimos todos (Stg 2:10). Cada mandato representa un área de fidelidad a Dios, y cuando quebrantamos alguno, nuestra deslealtad se desborda a las otras áreas. Por ejemplo, si robamos, al mismo tiempo estamos tomando en vano el nombre de Señor a quien representamos, siéndole infieles, inclinándonos ante el dios de la codicia, deseando las posesiones de otros y así sucesivamente. Quebrantar un solo mandamiento hace que compartamos aspectos del pecado que son comunes para toda la humanidad. Por lo tanto, Pablo escribe: "Pues todos han pecado y están privados de la gloria de Dios" (Ro 3:23).

Quiero hacer énfasis en que todos los humanos son susceptibles a la tentación porque si no reconocemos nuestra propia vulnerabilidad, estamos en un grave peligro espiritual. Nos convertimos en presas fáciles cuando no sabemos que estamos cerca del borde del precipicio de la tentación o que nuestro adversario está acechando detrás de nuestra puerta (Gn 4:7; 1P 5:8). Reconocer nuestra vulnerabilidad debe llevarnos a tomar las precauciones necesarias. Por Su gracia, Dios nos las provee porque Él también sabe que somos humanos.

Puedes aprender

Con frecuencia, Dios nos envía estas precauciones en forma de consejos prácticos que nos mantienen en Su camino de bendición. Por ejemplo, los padres, maestros y líderes ayudan a los jóvenes a evitar la presión peligrosa de sus compañeros al compartirles la advertencia de Dios de que "las malas compañías corrompen las buenas costumbres" (1Co 15:33). Los principios de la gracia no invalidan la importancia de decirle a otros lo que deben saber con el fin de evitar las tentaciones. No mostramos gracia cuando no damos las instrucciones prácticas que ayudan a otros a apartarse de peligros morales y de angustias. Dios nos creó con la capacidad de aprender por una razón. Como somos humanos, necesitamos instrucciones prácticas que nos ayuden a mantenernos alejados de tentaciones peligrosas o que nos saquen del lodo cenagoso en el que nos meten.

Si conocemos a alguien que lucha con relaciones o comportamientos adictivos, le podemos ayudar compartiéndole consejos prácticos. Por ejemplo, le aconsejamos: "No tomes esa ruta cuando vayas de regreso a tu casa. Si lo haces, te acercarás demasiado al lugar o a la persona que te tienta". No se trata de un legalismo arbitrario. Esta instrucción refleja la instrucción práctica de la Biblia:

> No sigas la senda de los perversos
>   ni vayas por el camino de los malvados.
> ¡Evita ese camino! ¡No pases por él!
>   ¡Aléjate de allí, y sigue de largo! (Pro 4:14-15).

Esa modificación del comportamiento suele ser efectiva e incluso la han adoptado los psicólogos seculares, porque hay aspectos comunes de nuestra humanidad que hacen que la instrucción práctica sea útil. Pero, aunque ese consejo práctico es bíblico y necesario, no es lo único que hay en nuestro arsenal de armas espirituales. Todavía no hemos comenzado a discutir las armas pesadas de la gracia que operan más allá de nuestra humanidad común. Es por eso que los consejos prácticos del Dr. Phil, de Oprah o de Ellen no sustituyen —ni coinciden con— la instrucción de un profeta como Jeremías o de un apóstol como Juan.

Reconoce que eres redimido

¿Qué nos dicen los autores bíblicos que no nos dicen los consejeros seculares? Los profetas y apóstoles se dirigen a los creyentes no solo como seres humanos, sino también como personas redimidas. No estaremos preparados adecuadamente para crecer en nuestra semejanza a Cristo hasta que también reconozcamos los beneficios poderosos de esta provisión de la gracia de Dios.

El Padre te ama

En los cinco primeros capítulos de este libro vimos cómo cambia nuestro estado cuando ponemos nuestra confianza en Cristo. Ya que Él pagó el precio para redimirnos de nuestros pecados y comparte Su identidad justa con nosotros, el Padre celestial nos ama tanto como ama a Jesús. No nos ganamos Su amor. No lo merecemos, así que no depende de lo que hacemos. Es por esto que el amor de Dios no varía con las mareas altas y bajas de nuestras actitudes o nuestros comportamientos.

Cuando entendemos que el amor de Dios por nosotros no es tan frágil como nuestra determinación, aumenta nuestro amor por Él. Ese amor hace que estemos más dispuestos a servirle, despierta valentía en nosotros para arriesgarnos por Él y produce en nuestros corazones el anhelo de regresar a Su camino cuando nos desviamos (Ro 2:4). Los brazos divinos siempre se extienden hacia nosotros, fortaleciéndonos en nuestras batallas espirituales y llamándonos para sanarnos y renovarnos cuando hemos caído.

Estás unido al Hijo

No solo tenemos el amor del Padre; también estamos unidos a Su Hijo. Por esta unión, compartimos la identidad, la posición, el destino y *el poder* de Cristo.

Como ya mencionamos, tenemos la identidad de Cristo porque (1) Él asumió el castigo por nuestros pecados, concediéndonos el estado de santidad que solo Él tenía, y porque (2) Cristo cubrió todos los defectos humanos que manchaban nuestra identidad. Ya que nuestro pasado está muerto para Dios (Gá 2:20) y nuestra vida está escondida en Cristo (Col 3:3), nuestro Dios nos ve con la justicia infinita e inmutable de Jesús. Nuestras cuentas bancarias espirituales están llenas de Su bondad. Estamos tan seguros en el corazón de Dios que ya estamos sentados con Él en las regiones celestiales en Cristo (Ef 2:6). Dios se deleita en nosotros porque Jesús se ha unido a nosotros, convirtiéndonos en miembros de Su cuerpo (1Co 12:12-27), instrumentos de Su gloria (Ro 6:13) y partícipes de Su destino (Ro 8:17-18).

El Espíritu Santo mora en ti

Ya que compartimos la identidad de Cristo, tenemos Su posición privilegiada a la diestra de Dios (Ef 2:6; Col 3:1) y también la seguridad de una eternidad con Él (Col 3:4; 1Ts 4:17). Pero no tenemos que esperar a llegar al cielo para comenzar a disfrutar los beneficios de nuestra unión con Cristo. Él *ya* habita en nosotros y, por el Espíritu Santo de conocimiento y poder, nos permite vivir para Él *ahora* (Jn 14:16-20; 1Ts 4:8). Enfrentamos grandes retos espirituales, pero Cristo envió al Espíritu Santo a nuestro corazón para concedernos la sabiduría y la fortaleza necesarias para honrarlo (Jn 14:26; 1Co 2:14; Ef 6:10).

Reconoce que eres una nueva creación

Conocer estos aspectos de nuestra redención es vital si queremos ver un cambio en nuestra vida espiritual. Cuando Pablo habla de lo que significa para nosotros tener el amor del

Padre, estar unidos a Cristo y tener al Espíritu Santo morando en nosotros, el apóstol concluye que somos "una nueva creación" (2Co 5:17). Como consecuencia, dice que ahora somos capaces de ser "embajadores de Cristo, como si Dios los exhortara a ustedes por medio de nosotros" (2Co 5:20).

Todo esto *suena* muy bien: hemos sido hechos nuevos para poder representar a Cristo. Sin embargo, todos reconocemos inmediatamente el problema que hay con esa afirmación. No nos *sentimos* como nuevas criaturas. Todavía pecamos, dudamos y luchamos. Seguimos teniendo los mismos cuerpos y los mismos rostros, y aún luchamos con muchos de los problemas que teníamos antes de poner nuestra fe en Cristo. Entonces ¿de qué forma somos nuevas criaturas?

Una nueva naturaleza

Ser una nueva creación no significa que de repente tenemos el cuerpo de un modelo, la mente de un profeta o el ADN de un apóstol. Pablo no está hablando de cambios físicos, sino de un cambio fundamental en nuestra naturaleza espiritual.

Aquí está la diferencia. Antes de estar unidos con Cristo, era *imposible* decirle *no* al pecado (Ro 8:7-8). No quiero decir que solo podíamos cometer crímenes. Estoy diciendo que nuestra vida no estaba dirigida en absoluto a honrar y agradar a Dios. Nuestros pensamientos y esfuerzos estaban dominados por intereses egoístas (1Co 2:14).

Para los que estábamos en situaciones relativamente estables y civilizadas, la vida se trataba de buscar lo que pudiera preservar nuestro estatus social y aceptación familiar. Para aquellos que simplemente estaban tratando de sobrevivir, es posible que su ambición los llevara a romper las normas éticas de la sociedad. En ambos casos, lo que nos gobernaba era lo que más nos beneficiara y no considerábamos amar ni honrar a Dios.

Una nueva habilidad

¿Cuál es la diferencia para los que estamos unidos a Cristo? Ya no nos controlan las prioridades impías. Ahora somos capaces de resistir al pecado y de procurar las prioridades de Dios. No estoy diciendo que nuestra conducta se vuelve perfecta de la noche a la mañana. Estoy diciendo que tenemos un nuevo norte en la vida. Cuando el Espíritu Santo nos revela nuestro pecado y egoísmo, somos capaces de confesar nuestra maldad y arrepentirnos de ella. Tenemos el poder de Cristo para mantener nuestra determinación y vencer nuestro pecado porque el mismo Espíritu que levantó a Jesús de la muerte ahora habita en nosotros.

El cambio espiritual es posible en nuestras vidas porque somos nuevas criaturas. El día de mañana no tiene que ser como el día de ayer. Realmente podemos progresar en nuestra lucha contra patrones de pecado, debilidades persistentes y tentaciones atractivas. Esa es la mayor bendición de tener a Cristo morando en nosotros (Gá 2:20). Tenemos Su poder y también Su identidad. Nuestra nueva naturaleza no es solo de nombre; somos nuevas criaturas en cuanto a nuestra habilidad espiritual.

Una nueva perspectiva

Es necesario que conozcamos esta verdad sobre nuestra naturaleza transformada porque, si no crees que el cambio espiritual es posible, no vas a luchar por él. Saber que podemos cambiar hace que nuestros corazones se mantengan luchando y que nuestra esperanza se mantenga viva. Por el contrario, si no creemos que podemos alcanzar la victoria espiritual, ya hemos perdido la batalla. Es por eso que el apóstol Juan nos asegura: "El que está en ustedes es más poderoso que el que está en el mundo" (1Jn 4:4).

Por medio de nuestras dudas y de las acusaciones de nuestra conciencia, Satanás se acerca y nos susurra: "No puedes corregir este pecado. No puedes evitarlo. Has luchado con esto tanto tiempo que ahora es parte de ti. Así fue como Dios te creó. En realidad, Él es el culpable". La respuesta bíblica a cada una de estas afirmaciones es: "¡Eso es mentira! El Señor Jesús, que ha resucitado, habita en mí por Su Espíritu Santo. Mayor es el que está en mí que el que está en el mundo. El pecado no me controla. No soy esclavo de mi pasado ni de mis pasiones. Soy una nueva creación en Cristo Jesús".

Un nuevo poder

El apóstol Pablo se regocija en el poder que ahora es nuestro gracias a nuestra unión con Cristo. Dice: "Sabemos que nuestra vieja naturaleza fue crucificada con Él para que nuestro cuerpo pecaminoso perdiera su poder, de modo que ya no siguiéramos siendo esclavos del pecado" (Ro 6:6).

Ya no somos esclavos del pecado. Pablo se regocija diciendo que "el pecado no tendrá dominio sobre ustedes" porque "han sido liberados del pecado" (Ro 6:14, 22). Nuestros deseos no nos controlan. El pasado no predetermina el futuro. Los antecedentes no son un obstáculo para la esperanza. La Biblia nos asegura que un creyente es una nueva criatura, pues eso fue lo que Cristo le prometió a los que creen en Él: una vida libre de la esclavitud del pecado.

Saber quiénes somos realmente como nuevas criaturas en Cristo Jesús nos permite vivir libres del control del pecado.

Este conocimiento nos da el poder para hacerle frente a las mentiras de Satanás, para callar las dudas de nuestro corazón y para actuar de acuerdo con la promesa de la Escritura: "Todo lo puedo en Cristo que me fortalece" (Fil 4:13).

El poder de Cristo es nuestro. Podemos experimentar el asombroso control que este nos concede a través de la dinámica del corazón descrita en el siguiente capítulo.

8

El amor controla

Ahora pasamos a la pregunta más crucial de este libro: si la gracia nos concede el estado *y* el poder de Cristo, ¿por qué seguimos pecando? La Biblia nos dice claramente que las tentaciones no son más poderosas que la provisión de Dios. Dios siempre nos da una salida (1Co 10:13). Más allá de eso, promete que nuestros antecedentes y pasiones no nos gobiernan. Somos nuevas criaturas. El pecado ya no nos controla. Su Palabra nos asegura que el pecado no tendrá más dominio sobre aquellos que han puesto su fe en Jesús (Ro 6:6, 14, 22).

Ya no somos esclavos del pecado. Entonces ¿por qué pecamos?

La verdad que odiamos

Por más desagradable que pueda ser la verdad, la respuesta a la pregunta "¿Por qué pecamos?" es: "Porque amamos el pecado". Pecamos porque nos encanta pecar. Considera esto: si el pecado no nos atrajera, no tendría absolutamente ningún poder sobre nosotros. Cedemos al pecado porque lo consideramos atractivo, beneficioso, placentero o favorable (Jn 3:19; Stg 1:13-14). Son nuestros deseos profundos los que ponen al pecado en el asiento del conductor, no el poder del pecado en sí. El combustible del pecado se encuentra en nuestros afectos.

Una conciencia sensible podría reaccionar diciendo: "No, yo amo a Jesús. Confieso que peco, pero aun así amo a Jesús". Eso puede ser verdad, pero al momento de pecar, amamos más el pecado. Pecamos no porque no amamos a Cristo, sino porque no lo amamos por encima de todo lo demás.

Como dijimos antes, nuestros pecados nos llevan a decirle a Jesús las tristes palabras de un cónyuge infiel: "Querido, yo te amo. Esa otra relación no significó nada para mí". Las primeras palabras son verdaderas. El cónyuge en casa es y era amado. Pero las últimas palabras son mentira. En el momento del pecado, el cónyuge infiel amó más la pasión o a la otra persona.

El pecado gana poder sobre nosotros no debido a su fuerza indomable, sino por causa de nuestro corazón dividido (Ro 6:12; Gá 5:24).

La verdad sobre el amor

Si nuestro amor por un pecado le da poder a ese pecado sobre nosotros, ¿cómo nos deshacemos de ese amor? La respuesta de la Escritura es simple: con un amor superior.

El libro clásico de John Owen llamado *La mortificación del pecado* (es decir, matando el poder del pecado) enseña que vencemos el poder de cualquier cosa al acabar con su fuente de vida. Ya que la fuente de vida del pecado es nuestro amor por él, lo derrotamos privándolo de nuestro afecto. O desplazándolo con un amor superior.

Llenos de amor

Desde hace años tenemos la costumbre de pasar nuestras vacaciones familiares en una cabaña en el bosque. Nos encanta la cabaña en todas las estaciones, pero cuando se acerca el invierno, tenemos que drenar el agua de todos los sistemas de tuberías para que el agua congelada no haga que exploten. Cerramos la llave de paso y abrimos todas las válvulas de drenaje. Este proceso lo invertimos en la primavera; cerramos las válvulas de drenaje para dejar que el agua llene las tuberías.

El tanque de agua caliente requiere un proceso diferente. Mientras llenamos el tanque, abrimos una válvula en la parte de arriba que permite que el agua que entra saque el aire que ocupó el espacio durante el invierno. De forma similar, cuando el amor de Cristo llena nuestro corazón, sacamos el aire en donde creció el pecado durante el invierno de nuestros corazones, cuando estábamos lejos de Él. El amor por Cristo desplaza el amor por el pecado y le niega el oxígeno espiritual que requiere para ocupar nuestros corazones.

Llenos de poder

Cuando nuestro amor por Cristo es preeminente, disminuye nuestro amor por el pecado y aumenta nuestra devoción a Él (Col 1:18). El predicador escocés del siglo diecinueve, Thomas Chalmers, describió este proceso como "el poder expulsivo de un nuevo afecto".[3] Nuestros comportamientos cambian en la medida en que cambian nuestros afectos. No podremos vencer las pasiones pecaminosas con esfuerzos constantes y titánicos de nuestra voluntad, sino procurando actuar en conformidad con nuestros deseos transformados (Ro 8:5-6). No estoy diciendo que batallar contra el pecado no implica una guerra espiritual intensa y agotadora; estoy diciendo que la paz y el poder que perduran requieren la transformación de nuestros afectos.

El amor que controla

Las energías y los esfuerzos en nuestras vidas siempre son controlados por lo que más amamos. Es por eso que el apóstol Pablo escribió que el amor de Cristo controla a los creyentes (2Co 5:14, NTV). Cristo no solo controla nuestro destino eterno sino que también nos da poder sobre nuestras obras y decisiones actuales al unir nuestro corazón con el Suyo. Jesús también dijo: "Si ustedes me aman, obedecerán Mis mandamientos" (Jn 14:15). No estaba simplemente reprendiendo a Sus discípulos para poner a prueba el amor de ellos a través de su lealtad. Estaba afirmando la consecuencia de nuestro amor por Él. Cuando Él es nuestro primer amor, nuestra prioridad principal es caminar con Él.

Caminando en amor

Al iniciar mi trabajo ministerial, cada fin de semana viajaba en auto desde el seminario hasta una iglesia pequeña en el campo para predicar la Palabra. Un domingo, un anciano preguntó si me gustaría ir a un pícnic con su familia después del servicio. Yo era un joven soltero y me estaban ofreciendo comida gratis, así que acepté rápidamente. El día soleado de otoño hizo que el viaje fuera asombrosamente hermoso. Avanzamos por la orilla de un río espectacular hacia una villa victoriana en medio de un bosque que se veía dorado y escarlata gracias al despliegue majestuoso de las hojas de otoño. Después del pícnic, la hija del anciano, de veintitantos años, me preguntó si quería ir a caminar con ella. Todavía recuerdo cómo brillaban sus ojos verdes y su pelo rubio con el resplandor del día. Y recuerdo que le respondí: "¡Me encantaría caminar contigo!".

Por supuesto que quería caminar con ella. Era hermosa, y a medida que mi corazón se llenaba de amor por ella, quería caminar cada vez más cerca de esa belleza. Ya llevo más de cuatro décadas a su lado.

De igual forma, cuando nuestro entendimiento de la belleza de la gracia de Dios llena nuestro corazón de amor por Cristo, queremos caminar con Él. Nuestro amor por Él cambia nuestros deseos y Sus prioridades se convierten en las nuestras.

Caminando con poder

Vale la pena repetir que el amor es la motivación humana más poderosa.

A veces se acusa a los que escriben o hablan bastante sobre la gracia y el amor de Dios de empapar sus mensajes con un sentimentalismo acaramelado que no tiene poder para los retos reales de la vida. La gracia se puede representar incorrectamente. Pero el sentimentalismo de algunos no debería cegarnos a una realidad que todos conocemos: el amor es el poder más grande de la vida. El amor —ya sea por el país, la familia o la fe— ha impulsado los movimientos más poderosos de la historia y nos apunta a la motivación más poderosa en toda la existencia humana.

Ninguna motivación es más fuerte que el amor. El amor es más fuerte que la culpa. Es más fuerte que el temor. Es más fuerte que las ganancias personales. Aunque cada una de estas cosas puede motivar a las personas para bien o para mal, ninguna es más fuerte que el amor. Aunque la Biblia usa muchas motivaciones para ayudar a asegurar nuestra obediencia, hay un mandato que sobrepasa todos los demás: amar a Dios, lo cual nos motiva a tener vidas que le honran y que bendicen a los que Él ama (Mt 22:37). La pluralidad de motivaciones en la Escritura no debe cegarnos a su prioridad: ¡el amor ante todo! ¿Por qué? Porque el amor nos controla (2Co 5:14, NTV).

La fuente del amor

La búsqueda natural de aquellos que conocen el poder del amor es buscar su fuente. ¿De dónde viene el amor que cautiva y controla el corazón? La Biblia responde: "Nosotros amamos porque Él nos amó primero" (1Jn 4:19). Nuestros corazones le responden al amor con amor.

Un amor que no cambia

La razón por la que la Escritura resalta continuamente la gracia de la naturaleza de Dios es que entender Su corazón cautiva los nuestros. La gracia se despliega en cada página: la longanimidad de Dios durante toda la historia de la rebelión y ruina de los seres humanos para alcanzarnos con el amor de Su Hijo; el servicio humilde del Salvador, Su vida sin pecado, Su muerte sacrificial, Su resurrección victoriosa y Su regreso prometido; el testimonio del Espíritu Santo que mora en nosotros, Su poder y ayuda. Todo esto es inquebrantable a pesar de nuestra desobediencia y dureza de corazón. Todas estas dimensiones de la gracia, y diez mil más en las páginas de la Palabra de Dios, expresan el amor de Dios para obtener el nuestro. Por esto también dedicaremos algunos capítulos de este libro a explicar cómo la belleza de la gracia de Dios se despliega a lo largo de la Biblia.

La dinámica de la gracia

La gracia es lo que cataliza la dinámica del corazón de la fe, pues a través de ella experimentamos un amor que enciende el nuestro. Así que aunque algunas personas consideran que la gracia da licencia para pecar, el apóstol Pablo dice lo contrario: "En verdad, Dios ha manifestado a toda la humanidad Su gracia, la cual trae salvación y nos enseña a rechazar la impiedad y las pasiones mundanas. Así podremos vivir en este mundo con justicia, piedad y dominio propio" (Tit 2:11-12).

¿No te suena extraño? En vez de quitarnos la responsabilidad de buscar una vida piadosa, la gracia nos capacita para tenerla. Aquí vemos nuevamente cómo la dinámica del corazón triunfa sobre los cálculos de una mente manipuladora. Mientras que la mente errante busca excusas, excepciones y cláusulas de escape, el corazón asombrado anhela mostrar su amor con expresiones cada vez más grandes de devoción. Cuando somos controlados por un corazón renovado, la mente se enfoca en descubrir cómo amar mejor a Dios, no en cómo abusar de Su gracia.

9

Alimento, no sobornos

El amor producido por la gracia controla a los creyentes, de modo que los capacita y también motiva su obediencia. Esta idea es importante porque podríamos pensar que enseñar la gracia se trata solo de dar una motivación apropiada. Es más que eso. La gracia no solo nos da una razón para seguir a Cristo, sino que también nos provee el poder necesario; no solo nos motiva sino que también nos capacita. Necesitamos ambas cosas porque el corazón que anhela cambiar necesita descubrir *cómo* puede cambiar.

El deseo de cambiar

Al comienzo de mi ministerio aconsejé a un joven que luchaba con el alcohol. Él venía regularmente a mi oficina y se sinceraba en nuestras conversaciones. La ventana de mi oficina estaba en una esquina del edificio desde donde se veía la entrada del frente. Por eso pude ver a mi aconsejado cuando se acercó al edificio y escondió una cerveza detrás de la columna que estaba cerca de la puerta antes de entrar a mi oficina para la consejería. Me decía que quería dejar de beber. No creo que estuviera mintiendo. Creo que deseaba desesperadamente ser libre de su adicción pero, obviamente, esta lo controlaba.

En ese momento mi método de consejería tenía la mayoría de los aspectos que tiene ahora. Entre los temas que tocábamos estaban las consecuencias de su adicción, hacia donde conducía la adicción cuando lo presionaba intensamente, los estándares de la Escritura, los patrones de pecado que sostenían la adicción, el poder de la oración y la necesidad de un arrepentimiento genuino, así como las medidas para evitar el pecado y rendir cuentas. Todo esto es bueno y necesario en la consejería bíblica, pero nada de esto funcionó para él.

No existe una fórmula mágica en la consejería, pero al evaluar las conversaciones que tuvimos, los temas que cubrimos y las medidas que tomamos, comencé a notar una gran brecha en mi método. De hecho, la larga lucha de mi amigo con la adicción me planteaba una pregunta que tardé varios años en responder. Mi pregunta no era si mis medidas de consejería eran bíblicas o necesarias. Yo creía y todavía creo que lo eran. Aunque no me considero un experto en consejería, creo que puedo reconocer métodos que respetan la verdad bíblica, que reflejan los principios científicos de consejería que están alineados con la Escritura y que son aplicados por consejeros sabios y cuidadosos. Pero mi pregunta era: ¿por qué estas medidas ayudan a algunos y a otros no? ¿A qué se debía la inconstancia de mis propios esfuerzos? ¿Qué me faltaba?

La pregunta del cambio

En esencia, lo que quería era tratar de entender por qué algunas personas cambian y otras no. Sobre todo quería discernir qué hace que los creyentes cambien para poder aplicarlo a la hora de aconsejar y predicar.

Acudir a mis colegas no fue de mucha ayuda. A excepción de algunos consejeros extraños, la mayoría de los que afirman su fidelidad a la Escritura seguían métodos bastante similares al mío. Algunos le daban un mayor énfasis a la oración, o a la meditación, o a la memorización de la Escritura, o a escribir cada día, o a la rendición de cuentas, o a analizar los antecedentes, o a algún otro aspecto de la consejería bíblica. Sin embargo, todas sus herramientas básicas eran bastante reconocibles y se aplicaban de varias formas dependiendo de la capacitación del consejero o de los aspectos específicos de la situación.

Mientras consideraba estos distintos métodos, me di cuenta de que prácticamente todos entran en la categoría de "qué hacer al respecto" en consejería. El aconsejado le dice al consejero cuál es el problema, el consejero le ayuda a comprender mejor el problema y luego le dice "qué hacer" para mejorar. Después de todo, es lo que el aconsejado quiere escuchar, y es lo que esperamos que promueva el cambio espiritual. Usamos métodos similares en la predicación, la enseñanza, la crianza, etc. Y cuando se pone en práctica este método con sabiduría y cuidado, las personas progresan en sus luchas... siempre y cuando su motivación sea apropiada.

La motivación para el cambio

Al aconsejar, pude reconocer el poder de un amor adecuado como motivación para el cambio (me tomó un poco más de tiempo darme cuenta de que también tenía que *predicar* a la luz de esta realidad). Vi que se necesitaba una motivación como esa porque pocas veces les decía a las personas algo que no supieran que debían hacer. Aunque las estructuras hechas con sabiduría y los pasos prácticos eran útiles para erradicar comportamientos pecaminosos y destructivos, pocas personas se sorprendían con las instrucciones que les daba. La gente tiene miles de excusas y racionalizaciones, pero nadie me ha dicho: "Nunca había pensado que mentir [o estallar en ira, o maltratar, o consumir drogas o engañar a mi cónyuge] era malo".

Era muy raro que alguien excusara alguna adicción, que estuviera genuinamente confundido respecto a sus malos actos o se mostrara orgulloso por su pecado. Prácticamente todos sabían lo que estaba bien y lo que estaba mal. La mayor parte del tiempo, lo que necesitaban, más que cualquier prueba bíblica de sus malos actos, era suficiente motivación como para dar pasos positivos hacia el cambio.

Pero ni siquiera eso era suficiente. Las personas decían: "Pastor, realmente quiero cambiar. Esta lucha en mi vida me está destruyendo a mí y a los que amo. ¿Cómo puedo cambiar?".

El *cómo* del cambio

Esa era la pregunta a la que no encontraba respuesta: ¿Cómo? Durante años, pensé que esto se podía solucionar con una mayor diligencia en las disciplinas bíblicas (orar más, leer más la Biblia, ir más a la iglesia, tomar medidas de rendición de cuentas). Pero finalmente reconocí que estas se pueden entender más como medidas de "qué hacer". Todavía faltaba algo.

No solo disciplinas

Las disciplinas eran útiles, importantes y necesarias, pero se podían interpretar fácilmente como expresiones más grandes de voluntad y diligencia humanas. Para muchos, establecer sistemas de disciplina y medidas de rendición de cuentas era solo una variación del método "esfuérzate más". El mensaje implícito era: "Todo depende de ti. Si ejercitas la fuerza de voluntad, la disciplina, el rigor y la fe que se requieren, podrás progresar".

No solo fuerza de voluntad

Descubrí que el progreso que lograban las personas por todos estos medios solía suceder por una razón diferente a la que reconocían ellos mismos o sus consejeros. Muchas personas que luchaban creían que estaban progresando porque *ellas mismas* se estaban esforzando y practicaban diligentemente las disciplinas espirituales. A menudo dependían de una fuerza de voluntad que solo funcionaba por un tiempo. Se daban cuenta de que la determinación personal podía ser muy poderosa, pero esta necesitaba un combustible extraordinario.

No solo consecuencias

Para otros, los nuevos patrones de vida que formaban y el remordimiento por los pecados pasados fueron de mucha ayuda. Enfrentar las consecuencias de sus pecados tuvo un efecto profundo y transformador en estas personas. No querían regresar a esa vida de vergüenza, dolor y luchas. El temor a regresar al pasado los ayudaba a seguir buscando con disciplina un mejor futuro.

La experiencia de los que encontraron motivación en la idea de tener una mejor vida comenzó a arrojar algo de luz sobre las respuestas que yo buscaba. Me di cuenta de que las personas motivadas por el remordimiento habían progresado (aunque esto involucrara inicialmente su propia fuerza de voluntad) porque habían llegado a amar más la vida sin su pecado que la vida con él. Las disciplinas habían producido un cambio de hábitos en su vida, al menos por un tiempo. El patrón de pecado se rompía temporalmente. Pero lo que mantenía el nuevo patrón era el amor por la nueva vida y por los que formaban parte de ella.

El amor por el cambio habilita

Los que mantuvieron su salud no solo fueron motivados por amor a sí mismos o por el remordimiento (aunque el poder de estos agentes de cambio es innegable). A menudo, su motivación era renovar y profundizar su relación con sus seres queridos, incluyendo a su Señor.

Este amor, más que el rigor de las disciplinas en sí mismas, fue lo que realmente produjo un cambio duradero. Lo que los consejeros (incluyéndome) percibían como el poder de las disciplinas —algo que, irónicamente, era generado por fuerza de voluntad y esfuerzo riguroso— no era lo que las hacía eficaces. Al asumir esto, estábamos diciendo que su poder dependía del nivel del cumplimiento humano, una perspectiva que es secular o incluso mágica.

Un amor disciplinado

Lo que realmente pasaba cuando las personas comenzaban a dedicarse a las disciplinas regularmente era que el Espíritu Santo les ministraba de una forma más profunda. Por medio de las Escrituras, les enseñaba sobre el amor y la gracia de Dios. Por medio de la oración, contemplaban Su misericordia. Por medio de la comunión y la adoración, eran testigos de la bondad y el poder de Su abrazo. En pocas palabras, las disciplinas hacían que las personas tuvieran una relación más profunda y más amorosa con su Señor.

Un amor que desplaza

Como resultado, el amor por el Señor desplazaba más y más el amor por su pecado y la vida que ese pecado había creado. Después de haber durado muchos años buscando lo que ahora parece evidente, reconocí que la pregunta del *cómo* (¿Cómo obtengo poder para vencer el pecado?) tenía la misma respuesta que la pregunta del *por qué* (¿Por qué debo cambiar?). La respuesta para ambas es el amor al Salvador.

Como explico en el capítulo anterior, esto no es una mera expresión sentimentaloide. Lo que más amamos es lo que controla nuestra vida. Lo que cambió finalmente a mi amigo alcohólico no fueron todas las disciplinas y medidas de rendición de cuentas que implementamos, sino la enfermedad grave de su madre. Cuando vio lo que su vida le estaba causando a su mamá y su necesidad de que él estuviera sobrio para ayudarla, su amor por ella comenzó a impulsar su cambio. Y cuando recordó que la gracia de Dios era mayor que todas sus fallas, maldades y vergüenza, comenzó a trabajar en las disciplinas cristianas de una forma que condujo a su transformación.

Las disciplinas ya no eran una medida de su fuerza de voluntad, la cual no tenía. Eran un cordón umbilical que lo ayudaba a nutrirse regularmente de la gracia de Dios. Conocer y avivar frecuentemente el mensaje del amor y la ayuda de Dios le añadió fuerza a su voluntad, lo que nunca hubiera logrado su antigua percepción del juicio, la desaprobación y el desagrado de Dios. Las disciplinas dejaron de ser sacrificios que tenía que ofrecer para recibir el favor de Dios y se convirtieron en el sustento que anhelaba para revitalizar su gozo en las promesas y el poder de Dios.

Negociando bendiciones

Lo que propongo es que muchos de nosotros necesitamos cambiar nuestra forma de ver las disciplinas cristianas (la oración, la lectura de la Biblia, los sacramentos cristianos y la comunión entre creyentes). Para muchos, se trata de un tipo de negociación cristiana: intercambiamos nuestra diligencia y nuestra labor por el favor y la ayuda de Dios. Mostramos todo nuestro esfuerzo y nuestra disciplina para complacer a Dios y luego esperamos que nos bendiga; básicamente es nuestro sudor por sus premios.

Razones equivocadas

Ese uso de las disciplinas va claramente en contra de la Escritura. El problema no son las disciplinas en sí mismas, sino que las usamos de una forma incorrecta. Estamos olvidando una premisa bíblica muy básica: hacer lo correcto por las razones incorrectas es incorrecto.

En el Antiguo Testamento vemos ocasiones en las que el pueblo de Dios ofrecía sacrificios a Dios como una forma de apaciguar Su ira mientras ignoraban Sus mandatos y el sufrimiento de los necesitados. Los sacrificios ofrecidos a Jehová eran buenos en sí mismos. De hecho, Dios había mandado que se hicieran como una señal de devoción a Él. Pero cuando se usaban para sobornar a Dios, Él dijo que le repugnaba el humo que producían (Is 1:11-14; Am 5:12).

Sobornos sin sentido

Si la razón por la que leemos la Biblia es para que Dios no se enoje con nosotros, o para que sea bueno con nosotros, en el fondo estamos tratando de comprar Su bondad con nuestra bondad. A veces las personas hablan de esta manera y no se dan cuenta de las actitudes que revelan: "Sabía que iba a ser un mal día porque mi devocional fue muy corto hoy".

¿Cuánto tiempo sería suficiente? La idea de que podríamos usar las disciplinas cristianas como una forma de poner monedas de fe en una máquina expendedora celestial se cae cuando recordamos que nuestras mejores obras son trapos sucios para Él (Is 64:6). No podemos sobornar a Dios para que nos bendiga.

Nuestras disciplinas no nos hacen aceptables ante Dios solo porque sean extensas, profundas o frecuentes. "Suficiente" no es una medida que funciona con un Dios infinitamente santo.

El alimento del cambio

La única manera en que las disciplinas fortalecen la vida cristiana es cuando las vemos como alimento, no como un trueque. No son fichas que podemos intercambiar para recibir la gracia de Dios, sino maná del cielo que nutre nuestro amor por Cristo. Al meditar en el derroche de gracia que vemos a lo largo de la Escritura, tener comunión con Dios en oración y experimentar Su multiforme misericordia para con Su pueblo, aumenta nuestra comprensión de Su amor. Como consecuencia, crece nuestro amor por Él, desplazando a esos otros amores que nos perjudican al atraernos.

El oxígeno del esfuerzo

Las disciplinas solo agradan a Dios y nos ayudan a cumplir Sus propósitos cuando aumentan nuestro amor por Cristo, que es el medio más poderoso para el cambio saludable y duradero. Esos propósitos se podrían comparar con el oxígeno que necesita el corredor de una maratón para alcanzar los kilómetros finales. También necesita coraje, determinación y fuerza de voluntad, pero todo será inútil a menos que haya oxígeno alimentando su esfuerzo.

Los corredores abren la boca para tomar el oxígeno que necesitan. No la abren esperando que su esfuerzo fabrique oxígeno. Ningún esfuerzo puede hacer esto. Abren su boca para inhalar el oxígeno que ya los rodea. De la misma forma, no debemos abrir las páginas de la Escritura, extender nuestras manos en oración o buscar a otros creyentes esperando que estos ejercicios buenos produzcan la gracia de Dios. Su gracia gratuita, ilimitada e incondicional ya nos rodea y está lista para que la inhalemos y para fortalecer nuestra pasión por Él.

El poder de la pasión

A medida que esa pasión va reorientando los propósitos, las prioridades y los deseos de nuestro corazón, recibimos poder y motivación para cambiar. Cuando esta verdad se hizo evidente para mí, me di cuenta de que mi larga lucha por responder la pregunta del *cómo* se había acabado. La pregunta "¿Cómo puedo cambiar?" —aunque se aborda a través de muchas consideraciones y disciplinas prácticas— se responde de la misma forma que la pregunta "¿Por qué debo cambiar?".

¿Por qué debemos hacer cambios que honren y agraden a Dios? Los hacemos porque lo amamos a Él por encima de todo lo demás. Y *¿cómo* hacemos cambios que honren y agraden a Dios? Tenemos el poder para cambiar cuando lo amamos por encima de todo lo demás. Cuando Su amor desplaza a los otros amores en nuestras vidas, estos pierden su poder para atraernos y ya no nos controlan. Cuando el amor por Él sobrepasa a todos los demás, Su poder también lo hace. El fin último de las disciplinas cristianas es llenar nuestro corazón de amor por Cristo, para que todos los demás amores sean desplazados y así disminuya el poder que tienen sobre nosotros.

Llenando con el poder del amor

Cuando nuestra hija menor estaba en la secundaria comenzó a ocupar gran parte de su tiempo con actividades antes y después de las clases. Por mi propio horario agitado, a veces era realmente difícil conectar con ella, así que mi esposa sugirió que me despertara temprano para preparar el desayuno de Katy. Nada complicado, solo cereal.

Ese tiempo juntos me dio la oportunidad de considerar regularmente mi responsabilidad principal como padre de Katy. Por supuesto, tenía muchas responsabilidades: darle dinero para el almuerzo, hablarle sobre chicos, escuchar sus preocupaciones sobre sus amigos, hacer gestos de dolor en momentos apropiados cuando describía los exámenes de matemáticas del Sr. Tanner y *por favor, por favor* recogerla a tiempo después de su entrenamiento de *softball*. Todos estos eran importantes, pero no eran lo más importante. Comencé a ver que mi mayor prioridad se reflejaba en el proceso sencillo de preparar el desayuno de Katy. Mientras llenaba su plato de cereal con leche, visualizaba mi responsabilidad de llenar su corazón de amor por Cristo.

¿Qué hacía que esa prioridad fuera más importante que cualquier otra? Los padres conocen la respuesta. Pronto vendrían pruebas y tentaciones. Sin embargo, la mejor forma de asegurar, fortalecer y preparar su corazón para lo que viniera era llenándolo de amor por su Salvador. Así funciona la "dinámica del corazón" en todos los hijos de Dios. Un corazón lleno de amor por Cristo rebosa de motivación y de poder para la vida cristiana.

10

¿Solo entre Jesús y yo?

En Sudáfrica, en la época posterior al *apartheid*, un juez preguntó: "Entonces, ¿qué quiere?". La pregunta silenció al resto de la sala de audiencias, y una frágil mujer negra se levantó lentamente para responder. Un exoficial de seguridad llamado van der Broek acababa de confesar el asesinato del esposo y el hijo de la mujer. El oficial había venido a su casa amparado por la autoridad del gobierno y le disparó a su hijo a quemarropa. Luego quemó el cuerpo del joven mientras él y sus hombres celebraban cerca del lugar.

Más tarde, regresó y sacó de la casa al esposo de la mujer. Ella no supo de él durante dos años. Pero una noche, el policía regresó y la llevó a la orilla de un río donde su esposo, aún vivo pero atado y golpeado, fue puesto sobre una pila de madera. Lo empaparon de gasolina y, mientras le prendían fuego, sus últimas palabras fueron: "Padre, perdónalos...".

Mientras ella recordaba cada uno de esos eventos, un miembro de la Comisión para la Verdad y la Reconciliación de Sudáfrica se dirigió a ella en la corte: "Entonces, ¿qué quiere? ¿Cómo deberíamos hacer justicia con este hombre que destruyó tan brutalmente a su familia?".

"Quiero tres cosas", respondió ella.

> Primero, quiero que me lleven al lugar donde fue quemado el cuerpo de mi esposo para poder reunir el polvo [las cenizas] y enterrar decentemente sus restos.
>
> Mi esposo y mi hijo eran mi única familia. Por eso, como segundo punto, quiero que el Sr. van der Broek se convierta en mi hijo. Quiero que venga dos veces al mes al gueto y pase un día conmigo para yo poder darle todo el amor que me queda.
>
> Y, finalmente, quisiera que el Sr. van der Broek sepa que le ofrezco mi perdón porque Jesús murió para perdonar... Y por eso, quiero pedirle a alguien que venga y me ayude a cruzar la sala de audiencias para poder abrazar al Sr. van der Broek y expresarle que lo he perdonado verdaderamente.

Mientras los asistentes de la corte ayudaban a la mujer anciana a atravesar la sala de audiencias, el Sr. van der Broek se desmayó, abrumado por lo que había escuchado.[4]

Una misión de misericordia

Al leer esta historia, muchos podríamos cuestionar si las peticiones de la mujer fueron apropiadas. ¿Debería el asesino recibir tan buen trato? ¿Habría sido mejor pedir algo diferente para hacer justicia? ¿Es esta historia real? Hay preguntas válidas que se han planteado desde que esta historia comenzó a difundirse en los círculos cristianos hace más de una década. Y ya sea que los detalles sean verdaderos o no, ¿demanda la Escritura que respondamos con el mismo perdón de esta mujer? Esas preguntas se tienen que responder en otros libros.

Mi pregunta es diferente, pero sigue siendo igual de importante: ¿qué puede motivar a alguien a ofrecer un perdón como el de esta mujer?

En esta historia, ella responde: "Le ofrezco [al asesino] mi perdón porque Jesús murió para perdonar". Su corazón deseaba compartir la misericordia que ella había recibido por medio del sacrificio de Cristo. Por más simple que pueda parecer, es el fundamento de toda la misión y ética cristiana. La gracia que recibimos cambia nuestro mundo, de tal forma que podamos ser instrumentos de Cristo para cambiar el mundo de los que se relacionan con nosotros.

La malinterpretación de la gracia

El poder transformador de la gracia suele tener mala fama. Los esfuerzos por motivar a las personas diciéndoles lo maravillosa que es la gracia de Dios *para ellos* suelen ser criticados, pues se asume que un enfoque extremo en la gracia hace que las personas se vuelvan egoístas. Son condicionadas a pensar únicamente en sus propias necesidades (es decir, *mi* perdón, la misericordia de Dios para *mí* y el cielo que *me* espera).

La matemática del yo

Sin embargo, aunque nos parezca que este camino conduce a la autocomplacencia, el destino es totalmente diferente. La matemática manipuladora del "yo" egoísta se diluye en el corazón del creyente y la dinámica de la gracia entra en acción.

Tengo que admitir que esta preocupación es legítima y su lógica no se puede negar. Si la gracia promete el perdón de Dios en este momento y por la eternidad, los que la reciben pudieran concluir: "Bueno, si todo está bien entre Jesús y yo, ¿para qué me voy a preocupar?".

La dinámica del interés por otros

Si amamos verdaderamente a Jesús, amamos lo que Él ama y a quien Él ama. Es posible que esta no sea nuestra inclinación natural o nuestro primer pensamiento. Es posible que nuestro entendimiento tenga que madurar, así como nuestro amor, pero el producto final es el mismo: las prioridades de Cristo se convierten en las nuestras.

Debido a que amo a mi esposa y quiero complacerla, escucho música clásica que no siempre entiendo y respondo preguntas sobre telas que no son muy relevantes para mí. Ella me ama y por eso va de pesca conmigo y dice: "¡Qué bien!", sin importar lo pequeño que sea el pez que yo haya atrapado. Amamos lo que el otro ama porque nos amamos. También amamos a los amigos y a la familia del otro (aunque estén por fuera de nuestros círculos habituales o de nuestra elección). Amamos a quien sea que el otro ame porque nos amamos.

Lo que Jesús ama. ¿A quién ama Jesús? Él ama al que no es fácil de amar, al rechazado, al necesitado, al perdido, al pobre, al huérfano y a la viuda en angustia (Sal 9:18; Is 16:3-5; Mt 11:5; Jn 3:16; 4:35; Stg 1:27). Le encanta mostrar misericordia y defender a los desamparados (Jer 9:24; Miq 7:18). Ama Su creación, a las criaturas que reciben Su cuidado y a todos los que ha creado a Su imagen (Gn 1:25-31; 2:15; Sal 145:8-9; 146:6-9). Si amamos a Jesús, también los amaremos a todos ellos.

Las prioridades de Jesús. Jesús nos enseñó cómo el amor por Él cambia y canaliza nuestras prioridades cuando dijo: "Les aseguro que todo lo que hicieron por uno de Mis hermanos [es decir, por cuidarlos], aun por el más pequeño, lo hicieron por Mí" (Mt 25:40). Saber que nuestro cuidado hacia "el más pequeño" es una expresión de amor por Cristo, quien nos ama, es la motivación de los cristianos para ser compasivos.

La gracia de Cristo hacia nosotros estimula nuestro amor por Él, lo que hace que queramos agradarlo extendiendo Su gracia hacia los que Él ama. La consecuencia va en contra del sentido común, pero es muy poderosa.

La gloria de Jesús. Una mente que hace concesiones podría concluir: "Ya que somos salvos por gracia por medio de la fe sin ningún mérito basado en lo que hacemos, ¿para qué me voy a preocupar por ser bueno?". El corazón que palpita con el amor producido por la gracia responde valientemente: "Para mostrar nuestra gratitud hacia Aquel que nos salvó y darle gloria al reflejar Su gracia en la forma en que vivimos y amamos a otros".[5]

La ética de la gracia

Es importante entender que una vida de compasión y de amor por Cristo es una respuesta a Su gracia, no un medio para reclamarla. Hay una gran cantidad de libros recientes escritos por autores bien intencionados que le llaman la atención correctamente a los cristianos evangélicos por ignorar los requerimientos éticos y las prioridades del Reino que vemos en la Escritura.

Los peligros del buen comportamiento

Nadie puede negar que los males del materialismo, el consumismo y la codicia han plagado a la Iglesia occidental y han llevado a que los que tienen recursos no muestren compasión hacia millones de personas que la necesitan a causa de la pobreza, la guerra, el racismo, la enfermedad, la desnutrición, el analfabetismo, la adicción, la esclavitud, el tráfico ilegal, el desempleo, la opresión, la persecución y la depravación. Nuestra distracción es pecado, por lo que debe ser confrontada y corregida.

Sin embargo, si abordamos este mal sin fundamentar la corrección en la gracia que sostiene los corazones y los mueve hacia la compasión bíblica, crearemos involuntariamente un nuevo legalismo. Los cristianos que están convencidos de que su posición en el Reino está determinada por sus esfuerzos por el Reino, caerán en el orgullo o en la desesperación que aflige a todas las religiones que se basan en el comportamiento.

Transformando corazones

El evangelio tiene el propósito de transformar nuestro mundo por medio de la transformación de corazones, de modo que respondamos a las necesidades de los que nos rodean. Pero la verdadera transformación del corazón siempre es consecuencia de un cambio espiritual que se produce cuando comprendemos la misericordia de Dios hacia pecadores que iban camino a una condenación eterna de no ser por Su gracia. Debemos tener cuidado de no confundir esta respuesta del corazón con algo que hacemos para reclamar la gracia de Dios. Aunque podría ser apropiado cuestionar la fe de alguien que no muestra compasión, es algo muy diferente a animar a las personas a que expresen compasión para merecer la gracia de Dios.

Compartiendo Su amor

Si pensamos que podemos ganarnos Su amor o asegurar nuestra entrada a Su Reino imitando el cuidado de Cristo hacia los demás, debemos reconocer que no importa lo radicales, sacrificiales o transformadoras que sean nuestras acciones, todas se quedarán cortas ante las de Cristo. Hasta que Él regrese, nuestra rectitud siempre será insuficiente para aliviar los problemas que enfrentamos (Mt 5:29; Mr 14:7). Incluso nuestras mejores obras siguen siendo trapos de inmundicia (Is 64:6), y cuando hacemos todo lo que deberíamos hacer, seguimos siendo indignos de estar en la mesa de nuestro Maestro (Lc 17:10). Hacer que la esperanza celestial dependa de nuestra compasión desprecia el evangelio de la esperanza que se basa únicamente en la compasión de Cristo.

Debemos mostrar compasión para honrar a nuestro Salvador, para agradarle, para traer las prioridades de Su Reino a nuestro mundo y para mostrar la credibilidad de la gracia que afirmamos que ha transformado nuestro corazón. Cuidamos a los demás porque, al hacerlo, mostramos que amamos a Cristo y que Cristo los ama a ellos. No exigimos que se merezcan nuestro cuidado antes de darlo, ya que nosotros no merecíamos la gracia de Cristo cuando Él nos la concedió (Ro 5:8-10; 1Jn 4:10).

Las prioridades del amor de Cristo

El objetivo principal de todas nuestras expresiones de amor es transmitir el amor eterno de Cristo, aunque las necesidades inmediatas puedan requerir una atención temporal. Proveemos para las necesidades terrenales de otros, en todos los niveles de la sociedad, mostrándoles el corazón de Cristo. Esto lo hacemos siendo conscientes de que (1) la religión celestial sin misericordia terrenal es vana (Lc 10:29-37; Stg 2:16) y de que (2) al final no trae ningún beneficio ofrecerles incluso un mundo perfecto si las personas pierden sus almas (Mt 16:26). Así que no estamos negando nuestra fe cuando procuramos mostrar la credibilidad del evangelio y hacerle bien al mundo de Dios a través de una demostración paciente, sacrificial y creativa del corazón de Cristo. Sí negamos el evangelio cuando priorizamos el bienestar terrenal de otros por encima de su seguridad eterna.

Experimentando Su amor

Expresar la compasión de Cristo a otros no es algo meramente altruista. También nos interesamos por los demás porque esto nos permite experimentar —no ganar— más del amor de Cristo. El amor que mostramos es el amor que conocemos. Al expresar Su amor de una forma desinteresada y sacrificial, podemos sentir con más intensidad lo real y profundo que es Su amor por nosotros y, como consecuencia, lo amaremos más (Mt 22:36-40; 1Jn 3:14-19; 4:12). Al cuidar de la creación y ser compasivos con nuestra comunidad, traemos aspectos de la redención a nuestro mundo, honrando a Cristo y demostrando Su cuidado tanto a otros como a nuestros propios corazones.

Pero ninguna de estas razones para expresar la compasión de Cristo hacen que la *merezcamos*. No somos dignos de Su Reino por mostrarlo aquí en la tierra. Él nos hace dignos de Su Reino al concedernos la vida eterna por Su gracia. Todo lo que hacemos en respuesta lo hacemos para alabarle con nuestra gratitud y nuestro amor (Col 3:16-17).

Mostrando Su amor

Su gracia nos permite entrar a Su Reino, nos mantiene en el Reino y nos asegura para el Reino. Su Reino florece en nosotros y por medio de nosotros. Promovemos los propósitos y las realidades de Su Reino por medio de nuestra fidelidad. Por supuesto, no podemos tener la seguridad de que pertenecemos a Su Reino si no hay nada en nosotros que refleje Sus prioridades (1Jn 4:8, 20). Pero si somos ciudadanos del Reino, es solo por Su gracia (1Jn 4:9-10). Lo que hacemos por Él se debe a la gracia que Él derrama sobre nosotros (1Jn 4:11).

Su amor en nosotros. Otra forma en la que Dios nos muestra Su gracia es alertándonos sobre la bendición que es vivir según las prioridades del Reino (Sal 1:1-3; Mt 5:6-8). Por ejemplo, no solo perdonamos porque Él nos lo ordena o porque tal vez otros lo necesiten, sino también porque la amargura nos corroe por dentro.

Otros han dicho que no estar dispuestos a perdonar es como tomarse un veneno para hacer que otra persona se sienta mal. Lo mismo aplica para todas las demás formas de pecado. Entregarse a cualquier pecado es destruirse a uno mismo. Ya sea que nuestra falta de compasión venga en forma de falta de perdón, distracciones egoístas o propósitos malvados, los resultados son los mismos: nos impiden experimentar la belleza del Reino (1Jn 3:17-19).

Gran parte de esa belleza es poder experimentar la presencia, la paz y la aprobación de nuestro Salvador. Luego de haber degustado estas bendiciones, la idea de arriesgar alguna de ellas es una de las cosas que más nos frenan a la hora de pecar. Por tanto, los que usan la gracia como una excusa para coquetear con el pecado, entregarse a él o ser indiferentes, no han entendido realmente la gracia. Nuestro Salvador nunca dijo que los que le aman abusan de Su gracia, son indiferentes a Su Palabra, ignoran el sufrimiento, afligen Su corazón, deshonran Su nombre y andan ocasionalmente en pecados que no son tan malos. Jesús dijo: "Si ustedes me aman, obedecerán Mis mandamientos" (Jn 14:15).

Estas palabras pueden ser difíciles de escuchar para muchos de los que están conociendo la vida motivada por la gracia. Nuestra cultura *secular* define la gracia como una licencia para hacer lo que queramos. Por el contrario, nuestra cultura de *iglesia* suele definir la obediencia como una conformidad a estándares culturales que no vemos en la Escritura (por ejemplo, prohibiciones antiguas o instintivas de ciertas bebidas, tecnologías y formas de vestir o de entretenimiento). Como resultado, los que ya están "bajo la gracia" a veces asumen que, debido a que esta nos libera de dicho legalismo, Cristo no tiene estándares para moderar nuestro comportamiento.

Su amor por medio de nosotros. Supuestamente, los que "realmente" entienden la gracia son los que aprenden a maldecir un poco, beber poco alcohol, acostarse con otras personas ocasionalmente y reírse de los tontos que no lo hacen. En realidad, todos podríamos argumentar que es poco probable que un Creador soberano sea sacudido por las palabras que salen de bocas humanas o por las onzas de alcohol que entran por ellas (Mt 15:16-20). Sin embargo, a Dios le interesan bastante las relaciones que se ven afectadas por todos nuestros comportamientos, por lo que Él llama a Sus amados a mostrar santidad en sus palabras, a ser moderados con todo lo que consumen, a ser puros en sus relaciones y a respetar a todos los que fueron creados a Su imagen (Ef 5:18; 2Ti 2:16; Heb 13:4).

Y para que nuestra cultura no nos lleve a ser selectivos al corregir el legalismo, también debemos recordar que la gracia no excusa el materialismo, el favoritismo, el cinismo, el racismo, el chisme, el irrespeto a los líderes, el descuido de la creación, el menosprecio al desamparado, la irreverencia, la falta de modestia ni la indolencia (Hch 17:24; Ro 13:1-5; 2Co 12:20; Ef 2:14-22; 2Ts 3:10; 1Ti 2:9; Heb 13:5; Stg 2:1-17; 1Jn 4:20). Esa lista debería quebrantarnos a todos, llevándonos a ser profundamente conscientes de lo mucho que necesitamos la gracia de nuestro Salvador y a ser profundamente agradecidos por Su infinita y gratuita provisión de gracia.

Solo la gracia de Cristo es nuestra esperanza, pero no es solo para nosotros. Al percibir lo maravillosa que es la misericordia del Salvador que nos rescata de todo nuestro pecado, nos deleitamos en agradarle. Nada le agrada más que vivamos de tal forma que otros puedan conocer y experimentar Su amor por medio de nosotros.

La gracia es un llamado a ser como Cristo al reflejar a Aquel a quien amamos porque nos amó primero (Tit 2:11-14). Al vivir así, no solo bendecimos Su nombre, sino que también bendecimos lo que ama y a quienes ama: Su creación y Sus criaturas. Experimentamos la gracia de Dios de una forma excepcional cuando nos aseguramos de que esta se desborde desde nuestro corazón hacia otros.

Parte 2

LA DINÁMICA DEL CORAZÓN EN LA BIBLIA

11

Gracia en todas partes

Cuando Colin, mi hijo mayor, estaba en la secundaria, se volvió fanático de las rocas y aprendió a coleccionar e identificar minerales y piedras semipreciosas. Un día me llevó al cauce de un arroyo conocido por sus geodas (rocas con hermosas formaciones de cristales escondidas dentro de su exterior común).

Al comienzo solo veía cientos de rocas insulsas de color marrón, pero luego Colin me enseñó que las geodas se distinguen por su forma, contorno y color, y pude ver algunas. Sin embargo, cuando me familiaricé con sus patrones, comencé a ver más geodas. Entre más mejoraban mis habilidades para identificarlas, más geodas encontraba. Al final, comencé a ver que las geodas estaban en todas partes. Habían estado allí todo el tiempo, solo que yo no estaba preparado para verlas.

Encontrando la gracia en la Escritura

En lo que va del libro hemos considerado lo importante que es la gracia de Dios para motivar y posibilitar la obediencia cristiana. Pero ¿dónde encontramos toda esta gracia? En gran parte de la Biblia no se usa la palabra *gracia,* y Jesús no siempre habla de ella. Algunas personas incluso enseñan que la revelación de Dios en el Antiguo Testamento es diferente a la del Nuevo Testamento y que Su gracia solo aparece después de la muerte de Jesús.

Para encontrar la dinámica del corazón de la obediencia cristiana en toda la Escritura, debemos aprender a ver que la gracia de Cristo no aparece por primera vez en los últimos capítulos de Mateo. Tal como las geodas que mi hijo me ayudó a encontrar, la gracia está en toda la Biblia. Solo tenemos que aprender a verla.

Detalles diferentes

No encontraremos la gracia en todas las páginas de la Escritura si esperamos ver exactamente lo mismo en todas partes. Así como las geodas se toman su tiempo para desarrollarse y vienen en diferentes colores y tamaños, la gracia se desarrolla y aparece de diferentes formas. Sigue ciertos patrones, pero no hay dos expresiones de gracia que sean exactamente iguales.

El mismo tema

Cuando el ministerio de Cristo se acerca, inicia y se expande, el mensaje de gracia se vuelve más evidente y radiante. El tema de la disposición de Dios para rescatar a los que no pueden salvarse a sí mismos de la ruina espiritual aparece desde las primeras páginas de la Escritura. El ministerio y el mensaje de Jesús no debieron ser una sorpresa. Él mismo lo dejó claro cuando dijo a los líderes religiosos de Su época: “Ustedes estudian con diligencia las Escrituras porque piensan que en ellas hallan la vida eterna. ¡Y son ellas las que dan testimonio en Mi favor!” (Jn 5:39; ver también 1:45).

Después de Su resurrección, Jesús le dijo algo similar a Sus discípulos en el camino a Emaús. Lucas registra esa conversación de esta manera: "Entonces, comenzando por Moisés y por todos los profetas, les explicó lo que se refería a Él en todas las Escrituras" (Lc 24:27; ver también el 24:44). Jesús dice repetidamente que todas las Escrituras dan testimonio de Él. Pero, por supuesto, aún queda una pregunta clave: ¿Cómo dan testimonio de Él? Jesús no puede estar diciendo que todas las porciones de la Escritura lo mencionan directamente. La mayoría de versículos y relatos de la Biblia no se refieren de forma explícita a Jesús.

El panorama completo

Entenderemos lo que Jesús quiso decir al afirmar que toda la Escritura da testimonio de Él cuando recordemos el panorama completo de la Biblia. Como dice el antiguo cliché: "La historia es 'Su historia'". Pero ¿cómo se ha ido desarrollando esta historia de Jesús descrita en la Biblia?

Una forma estándar de considerar el panorama completo del trato de Dios con la humanidad comienza con una creación buena, la cual se arruina por causa de la Caída de Adán, luego es redimida por la provisión de Cristo y finalmente es perfeccionada con la consumación del gobierno de Cristo sobre todas las cosas. El mundo de Dios y Su pueblo fueron creados y eran buenos, se volvieron malos, están siendo redimidos y serán perfeccionados. Esta perspectiva de Creación-Caída-redención-consumación nos ayuda a crear un esquema de todos los eventos de la Escritura. Cada uno de ellos tiene un lugar en este gran plan de "Su historia" porque Él es la figura central hacia la que apuntan. Él creó todo y todo era bueno (Jn 1:3; Col 1:16), Él fue la promesa que recibimos cuando todo se arruinó (Gn 3:15; Hch 13:32-33; Ro 16:20), Él es la culminación del plan de redención (o rescate) de Dios (Hch 2:23; 26:22-23; 1P 1:20) y en Su Reino final perfeccionará todo lo que ha redimido (1Co 15:24-28; Ap 21:1-8).

El gran rescate

Además de ver el plan general de "Su historia", es importante recordar que el componente del "rescate" en la historia bíblica comienza a desarrollarse mucho antes de la narrativa de la crucifixión en los Evangelios. La Biblia nos muestra la aurora del plan de rescate de Cristo casi desde su inicio.

Preparando el escenario

Inmediatamente después de que Adán y Eva pecaran, Dios le dijo al que los había tentado:

> Pondré enemistad entre tú y la mujer,
> y entre tu simiente y la de ella;
> su simiente te aplastará la cabeza,
> pero tú le morderás el talón (Gn 3:15).

Los eruditos de la Biblia se refieren a este versículo como el "primer evangelio". Es la primera promesa de Dios de redimir Su mundo y Su pueblo —destruido por el pecado de Adán— a través de la provisión divina. Dios prometió enviar a Alguien que vendría por medio de una fuente humana a derrotar a Satanás al tiempo que experimentaría un ataque horrible de su parte. Satanás iba a herir el talón del Salvador que vendría, causándole sufrimiento; pero el Salvador iba a herir la cabeza de Satanás, destruyendo su influencia.

Este versículo al comienzo de Génesis prepara el escenario para todo lo que sigue en la Biblia. El resto de la historia humana se desarrolla en este escenario, por lo que cada porción de la Escritura se encuentra en un contexto de redención. Nuestra meta como lectores fieles de la Biblia no es hacer que Jesús aparezca mágicamente en cada texto, sino ver cómo encaja cada texto en esta historia de redención. Jesús es el punto culminante de toda la historia, así que el escenario se prepara para Él. Todo lo que ocurre allí se relaciona con Él, y no podremos entender *completamente* los sucesos en este escenario hasta que identifiquemos cómo se relacionan con Jesús.

Ver Su gracia

Poner cada texto en su contexto redentor no significa que tenemos que forzar todos los versículos de alguna forma para que mencionen a Jesús. No deberíamos necesitar decodificadores ni programas de computadora para descubrir el mensaje central de Dios. El propósito de Dios es bastante sencillo. Todos los textos se relacionan con algún aspecto de la gracia redentora de Dios, que encuentra su máxima expresión en Cristo. La gracia aparece en las páginas cada vez que Dios provee para personas que no pueden proveer para sí mismas. Por lo general, estos reflejos de la provisión de Dios no revelan la historia completa de la obra salvadora de Cristo, pero señalan aspectos de Su misericordia y Su misión que se revelan más ampliamente en otras partes de la Escritura.

Cuando Dios provee alimento a los hambrientos, fuerzas a los cansados, familias a los huérfanos, fidelidad a los infieles, perdón a los que no lo merecen y miles de otros destellos de Su gracia, está revelando aspectos de Su carácter y cuidado que se materializan completamente en la provisión de Su Hijo. Al final, entendemos quién es Cristo y qué hace por medio de la forma en que personifica el mensaje de la redención de Dios que se desarrolla a lo largo de la Biblia.

Esta perspectiva del evangelio se puede comunicar de diferentes formas en la Biblia. Muchos textos describen, profetizan o tipifican (establecen un patrón) específicamente el ministerio de Jesús. Para entender estos textos basta con identificar de forma directa las verdades evidentes del evangelio. Sin embargo, hay muchos otros textos que nos preparan para el ministerio de Cristo o que reflexionan sobre él revelando aspectos de la gracia de Dios que encuentran su máxima expresión en Jesús.

Diversas ventanas

Estas "ventanas al evangelio" revelan la naturaleza y provisión bondadosas de Dios a través de varios medios lógicos y literarios. Por ejemplo:

Contextos. Antes de tratar de descubrir el mensaje de algún texto bíblico, debemos identificar en dónde encaja en la historia bíblica. ¿Estamos en el inicio del plan redentor de Dios o más adelante? ¿Estamos en un lugar donde las personas se están rebelando o donde Dios está rescatando, o donde se muestra la necesidad o la provisión de algún otro aspecto de la gracia de Dios? Entender correctamente el contexto nos ayuda a ver el aspecto de la gracia que necesitaba el pueblo de Dios en ese momento y por qué lo necesitamos en contextos similares. Si no tenemos en cuenta el contexto, podríamos terminar diciéndole a las personas: "Deben tratar de ser tan fuertes e inteligentes como Sansón", cuando el mensaje real en el contexto del libro de Jueces es que las personas que dependen de su propia fuerza e inteligencia se meten en muchos problemas y solo Dios los puede librar.

Temas. Cuando vemos un tema, una imagen o un patrón recurrente de la gracia de Dios, vemos la manera en que Él entreteje la historia de Su amor para así poder reconocer sus implicaciones y responder apropiadamente. Un tema o una imagen típica de la obra redentora de Dios se puede encontrar tanto en el Antiguo como en el Nuevo Testamento. Cuando Dios rescató a Su pueblo de la esclavitud por medio de la sangre de un cordero pascual en el libro de Éxodo, estaba enseñándoles que sería necesario un sacrificio para su redención. Por eso, los escritores del Nuevo Testamento usan frecuentemente el cordero pascual para explicar la persona y la obra de Cristo. Los temas y las imágenes que vemos en el jardín del Edén, el templo del Antiguo Testamento, el reinado de David y muchos otros relatos del Antiguo Testamento se mencionan en el Nuevo Testamento para ayudarnos a entender por qué necesitamos a Jesús y qué necesitamos hacer. Él restaurará la paz del jardín que fue destruida por nuestro pecado. Él proveyó el sacrificio requerido para expiar nuestros pecados de modo que pudiéramos ser el templo que Él desea. Él es el mejor Rey davídico que pastorea nuestra vida con rectitud y compasión.

Verdades. En ambos Testamentos encontramos relatos con verdades doctrinales que son fundamentales para entender el evangelio. Por ejemplo, el apóstol Pablo explicó la salvación por fe usando el recordatorio de que Abraham le creyó a Dios y le fue contado por justicia (Gn 15:6; también Ro 4:3, 22). Muchas veces, las verdades sobre la naturaleza de la gracia de Dios son plantadas en un relato del Antiguo Testamento y florecen en las explicaciones del Nuevo Testamento.

Acciones. Si lees un pasaje teniendo en cuenta la redención, podrías ver cómo el cuidado de Dios por Su pueblo muestra características de gracia. Cuando Dios le da la victoria al débil, o tesoros a una nación desleal, o alimenta a un profeta que está huyendo, o consuela a un rey cobarde, o le advierte al que no lo merece, o acepta el arrepentimiento de cualquiera, en todos estos casos —y en todos los demás relatos donde Dios provee la ayuda que la humanidad necesita pero no puede proveer ni merecer por sí misma— aprendemos sobre Su naturaleza redentora. Las historias no son aleatorias, sino que nos muestran la gracia para que aprendamos a reconocerla, a depender de ella y a confiar en Aquel que la ofrece.

Promesas. Por medio de pactos, predicciones y profecías, Dios le comunica a Su pueblo que lo cuida de una forma que trasciende nuestra época y nuestro conocimiento. Por medio de los pactos se compromete a cuidar a Su pueblo, el cual no cumplirá sus compromisos. Por medio de las predicciones demuestra un conocimiento y un poder que superan la sabiduría y la debilidad humana. Por medio de las profecías demuestra que Su fidelidad va más allá de nuestras crisis, nuestros fracasos y nuestros falsos mesías. Por medio de todos estos aspectos de Su fidelidad futura, hace y cumple promesas que nos permiten confiar en Él y acudir a Él más allá de las limitaciones de nuestra sabiduría, nuestra visión y nuestro mundo. Eso también es gracia.

Perspectivas alegóricas

Identificar en estas formas fieles la gracia desplegada en la Escritura es diferente a algunos métodos pasados que trataron de poner a Jesús en cada página del Antiguo Testamento. Algunos intérpretes entendieron que la declaración de Cristo de que todas las Escrituras hablan de Él justificaba la invención de referencias fantásticas e imaginarias sobre Jesús en pasajes del Antiguo Testamento.

Estas interpretaciones alegóricas se basaban en gran parte en la imaginación humana para declarar que, por ejemplo, la madera del arca de Noé simbolizaba la madera de la cruz, o que las aguas abiertas del mar Rojo prefiguraban el agua que saldría del costado de Cristo en la cruz. La buena intención era mostrar que Dios había revelado la venida de Cristo muchos siglos antes, pero las explicaciones solían basarse más en la creatividad humana que en una intención divina comprobable.

Si las cosas funcionaran así, alguien podría decir también que la madera del arca de Noé representa la madera del pesebre, del taller de carpintería, del arca del pacto, de los paneles del templo de Israel o del barco en el que Cristo calmó la tormenta. Se podría pensar que el agua del mar abierto representa el mar que calmó el Salvador, el agua que se convirtió en vino cuando Su madre se lo pidió, el bautismo que recibió o los bautismos que realizaron Sus discípulos.

El problema con todas esas interpretaciones alegóricas es que la revelación bíblica no las respalda. Tal vez tienen sentido, tal vez no. Pero, de cualquier forma, no se puede establecer lógicamente que son más bíblicas que otras posibles interpretaciones.

Guía bíblica

Si el Nuevo Testamento no indica que un objeto o relato específico se trata de Jesús, es mejor no forzar una interpretación con otros argumentos. Al mismo tiempo, debemos estar muy dispuestos a aprender los principios de interpretación redentora que emplearon y ejemplificaron los escritores del Nuevo Testamento.

En el siguiente capítulo exploraremos estos principios para poder excavar la gracia correctamente en cualquier porción de la Escritura, con el fin de despertar la dinámica del corazón de donde proviene la fidelidad cristiana. La meta no es simplemente mejorar nuestras habilidades interpretativas —o mostrar que ahora somos un poco más inteligentes— sino aprender a ver la gracia que realmente ayuda a las personas a cambiar. Cuando veamos lo grande, amplio, alto y profundo que es el amor de Dios en Su Palabra, lo amaremos más, confiaremos más en Él y acudiremos más a Él, y esto ayudará a otros a hacer lo mismo (Ef 3:18).

12

Excavando la gracia

Mi ministerio pastoral comenzó con un gran privilegio: me pidieron que liderara una iglesia histórica. Aunque me alegró este honor, pronto descubrí que no estaba preparado para los problemas ni para el dolor de mi posición privilegiada.

La iglesia se encontraba en una comunidad minera y granjera que estaba siendo devastada por problemas económicos. Las minas se estaban cerrando y las granjas estaban muriendo, pero el pecado seguía vivo. Cuando disminuyeron los trabajos y los ingresos, se dispararon las consecuencias del estrés familiar: consumo de drogas, adicción al alcohol, promiscuidad, abuso, divorcio y sobre todo depresión.

Pensé que sabía lo que tenía que hacer. Me habían enseñado que la Palabra de Dios corrige a los que luchan con adicciones, actividades pecaminosas y depresión. Así que les mostraba en la Biblia todos los lugares donde se condena la impiedad y predicaba: "¡Dejen de pecar!".

Hablaba con fuerza dando explicaciones claras del texto bíblico: "Saben que la Biblia condena lo que están haciendo. Entonces, dejen de hacerlo". Repetía tanto "Dejen de pecar" que no me soportaba a mí mismo. Un día le dije a mi esposa: “No puedo seguir haciendo esto. No fui al seminario para aprender a herir a las personas, pero lo hago todos los domingos desde el púlpito”.

Comencé a tomar medidas para dejar el ministerio, pero el Señor intervino con Su gracia y trajo un libro a mi vida —aunque no recuerdo exactamente cómo— que hablaba de una controversia antigua.[6]

Los héroes de la Biblia

La controversia era por la forma en la que se debía enseñar sobre los héroes de la Biblia. ¿Debemos decir básicamente: “Ellos fueron fieles y ustedes también deberían ser fieles”? ¿O debemos reconocer con honestidad que todos los seres humanos tienen pies de barro?

¿Es honesto hablar de la victoria de David sobre Goliat y no mencionar nunca su pecado con Betsabé, o el asesinato de su esposo, o la rebelión de los hijos de David, o el orgullo que plagó el final de su vida? Si solo animamos a las personas a que sean como David cuando fue fiel, ¿estamos enseñando todo lo que la Biblia quiere que sepamos sobre él?

Un verdadero héroe

La idea principal del libro que examinaba esta controversia era que solo hay un verdadero héroe en la Biblia y Su nombre es Jesús. Todos los demás eran notablemente humanos; eran pecadores defectuosos que (aun cuando eran fieles) necesitaban desesperadamente la ayuda de Dios para expresar la fidelidad que distinguió sus vidas.

Proclamar los héroes sin proclamar la gracia de Dios que posibilitó su heroísmo, o que perdonó comportamientos que fueron todo menos heroicos, distorsiona el mensaje bíblico. Dios no esperó hasta el Nuevo Testamento para mostrar Su gracia, sino que demuestra a lo largo de las Escrituras Su naturaleza salvadora al usar a personas tan imperfectas como David, Abraham, los apóstoles y muchos otros para traer salvación a otros que también son débiles y necesitados.

Tal vez ese mensaje sea obvio para algunos, pero para mí no lo fue durante varios años. Leía la Biblia con el objetivo principal de determinar el buen comportamiento o la doctrina correcta que se enseñaba en cada pasaje. No se me ocurría identificar la gracia que cubría el comportamiento inadecuado o la falta de competencia. Fue cuando la gracia me iluminó que pude empezar a leer sin ignorar las realidades de la debilidad humana. Y solo entonces hubo un cambio radical en mi predicación.

La utilidad de un inútil

Me di cuenta de que en vez de repetir constantemente "Dejen de pecar" al pueblo de Dios, tenía otro mensaje en la misma Biblia, pero uno que era mucho más útil. Podía decir con integridad bíblica: "Si Dios puede usar a personas tan imperfectas como David (y muchos otros personajes bíblicos), todavía puede usar a personas tan imperfectas como tú y como yo".

Necesitaba ese mensaje de gracia tanto como los que escuchaban mi predicación. No había llegado a los treinta años, pero ya creía que era un fracaso. Aunque había tenido el gran privilegio de liderar una iglesia histórica a una corta edad, los retos habían acabado conmigo. Nadie necesitaba una nueva esperanza más que yo. Cuando comencé a ver que la Biblia estaba llena de gracia, comencé a creer que Dios aún podría tener un propósito para mí.

Combustible para la vida

Al proclamar esa gracia, el pueblo de Dios comenzó a aferrarse a la esperanza que comencé a compartir desde el púlpito. El Espíritu Santo bendijo esas palabras que reflejaban más fielmente Sus propósitos. Fue sorprendente ver cómo el gozo comenzó a reemplazar la depresión generalizada. Y con ese gozo vino un nuevo entusiasmo por la Palabra de Dios y Sus caminos.

Comencé a darme cuenta de que ofrecer una esperanza bíblica a las personas era tan importante como darles una instrucción bíblica. También comencé a entender que *toda* la Escritura está diseñada para darnos esta esperanza, ya que revela constantemente la gracia que culmina en la persona y la obra de Cristo (Ro 15:4). Esta gracia, como se ha explicado en las primeras partes de este libro, es la motivación y el poder para la vida cristiana. Revelar la gracia que hay en toda la Escritura no pone en peligro nuestros compromisos con el deber y la doctrina cristiana, sino que los impulsa.

Extrayendo la gracia honestamente

Por supuesto, ahora la pregunta clave es cómo extraemos este combustible sin contaminar el mensaje que quiere enseñar cada pasaje de la Biblia. Ya sea que sirvas a otros como pastor, maestro de escuela dominical, consejero, padre o amigo, debes tener el deseo de enseñar lo que dice la Biblia sin imponer significados que el Espíritu Santo no inspiró. (El resto de este capítulo proporciona el fundamento para excavar la gracia en todo tipo de textos bíblicos. Si se vuelve un poco pesado para ti, puedes pasar al siguiente capítulo donde encontrarás la versión resumida.)

Reconoce lo que es diferente

¿Cómo encontramos la gracia sin imponerla en el texto? Primero, debemos recordar (como se explica en el capítulo anterior) que no todos los textos revelan la gracia de la misma manera. A veces, la Biblia revela sus verdades con profecías, pero también nos instruye por medio de poesías, proverbios, historias y cartas. Necesitamos varios métodos que nos ayuden a ver el mensaje de la gracia en los diferentes tipos de textos bíblicos. Pero a pesar de que son métodos diferentes, tienen puntos en común.

Pregunta qué está mal

Ya hemos visto que toda la Escritura se encuentra en el contexto del plan de Dios para redimir a Su pueblo del mundo caído. Eso significa que podemos comenzar a conectar la redención con cualquier texto de la Biblia preguntando: "¿Qué salió mal aquí?" o "¿Cuál es la lucha humana que está resaltando el Espíritu Santo?".

Aun si el texto solo describe cosas buenas que debemos saber o hacer (como alabar el esplendor y el amor fiel de Dios), debemos preguntar: "¿Por qué necesitamos esta instrucción? ¿Cuál es el problema en nosotros que requiere que Dios nos recuerde algo tan básico?". Centrarnos en un aspecto de nuestra condición caída nos apunta hacia la gracia que Dios debe proveer para rescatarnos, restaurarnos o redimirnos. En esencia, identificamos el hoyo en el que estamos (a lo que llamo en otra parte el *Enfoque en la Condición Caída)* para poder apreciar la escalera que Dios provee para ayudarnos a salir.[7]

Escaleras para la comprensión

Con el fin de aprovechar la escalera de la gracia de Dios, tenemos que saber que Él nos la extiende de diferentes maneras.

Varios aspectos de la Palabra de Dios *predicen* la persona o la obra de Cristo, nos *preparan* para ella, *resultan* de ella o la *reflejan*.

Estas cuatro categorías de explicación del evangelio no son exhaustivas, pues hay otras formas en las que se puede ver la gracia. Además, es mejor que no pensemos que tenemos que mantener estas categorías separadas rígidamente. Son simplemente herramientas que nos ayudan a explicar la forma en que toda la Escritura nos apunta a la naturaleza o a la obra de Cristo.

La escalera de la predicción

Algunos pasajes —tales como las profecías y los salmos mesiánicos— *predicen* claramente quién es Cristo y lo que hará. Isaías escribió sobre el Mesías:

> Y se le darán estos nombres:
> Consejero admirable, Dios fuerte,
> Padre eterno, Príncipe de paz.
> Se extenderán Su soberanía y Su paz,
> y no tendrán fin (Is 9:6-7).

Zacarías dijo que un día nuestro Rey "humilde" vendría "montado en un asno" (Zac 9:9).

Estas son predicciones claras de la persona y la obra de Jesús, y hay muchas más relacionadas tanto con Su primera venida como con la segunda. Si estamos leyendo o enseñando estos textos, debemos entender que nuestro rescate se da por medio de la provisión de Dios, no la nuestra. Esta es la naturaleza de la gracia que revelan los profetas.

La escalera de la preparación

Otros pasajes *preparan* al pueblo de Dios para entender la gracia que Dios debe proveer para ellos a través de Cristo. Por ejemplo, David fue escogido por Dios para representar Su gobierno en medio del pueblo del pacto. Así que cuando Dios usa al rey David para mostrarle misericordia al nieto cojo de Saúl (un descendiente de la realeza que sería el rival de David para el trono de Israel), entendemos algo de la gracia del carácter de Dios que será revelada en Cristo.

El rey israelita que sirve y representa a Dios muestra misericordia hacia sus enemigos y ayuda al desamparado. No tenemos que encontrar un "código secreto" para Jesús en este relato para poder comenzar a entender el carácter de gracia del Rey futuro de David: nuestro Señor.

Puentes para entender. Muchos pasajes del Antiguo Testamento preparan al pueblo de Dios para entender no solo la gracia de *Su provisión*, sino también *su propia necesidad*. Por ejemplo, Pablo escribe en Gálatas 3:24 que la ley era la tutora o guía que nos llevaba hacia Cristo.

Los estándares altos y santos de la ley de Dios destruyen nuestra esperanza de que podemos ser aceptables ante un Dios santo por medio de nuestra obediencia. Al tiempo que nos enseña la conducta moral apropiada, nos prepara para buscar Su misericordia. Este patrón de gracia está entretejido no solo en los Diez Mandamientos de Moisés, sino también en el Sermón del monte de Jesús y en todos los estándares de santidad que enseñaron los profetas y apóstoles.

Adicionalmente, el sistema de sacrificios del Antiguo Testamento nos prepara para entender que sin derramamiento de sangre no hay redención de pecados (Heb 9:22). Y ya que la fe de Abraham le fue contada por justicia, la Biblia nos prepara

para ver que nuestra posición delante de Dios depende de nuestra fe en la provisión de otra Persona (Ro 4:23-24). Estas son solo algunas de las muchas formas en que la Biblia prepara nuestro corazón para la gracia al conectar lo que entendemos sobre la provisión antigua de Dios con Su gracia actual.

Señales de callejones sin salida. Además de estos *puentes* del Antiguo Testamento que nos conectan con las verdades de gracia del Nuevo Testamento, Dios también nos prepara para el ministerio de Cristo mostrándonos *callejones sin salida* que debemos evitar. Cuando los personajes de la Escritura dan giros equivocados una y otra vez debido a su confianza en falsos profetas, sacerdotes desviados y reyes llenos de defectos, aprendemos que necesitamos un mejor Profeta, Sacerdote y Rey. Las historias del Antiguo Testamento sobre jueces inútiles, personas que rompen las leyes y líderes imperfectos no están enseñando un heroísmo que se merece la gracia, sino que la gracia debe venir por medio de un Juez superior, del único héroe perfecto que guarda perfectamente la ley. Los pecadores débiles y fracasados no están en la Biblia por error. Sus historias son letreros que nos advierten que confiar en nosotros mismos es un callejón sin salida.

La gracia no aparece de forma inesperada en el Nuevo Testamento. El pueblo de Dios ha sido preparado durante milenios para entender y recibir la gracia de Cristo. Comprenderemos y enseñaremos mejor estos pasajes preparatorios cuando identifiquemos no solo los buenos comportamientos que enseñan, sino también al Dios que capacitó a los héroes que admiramos y preparó a un Redentor para los menos admirables. Aprender a identificar tanto los puentes como los callejones sin salida del mapa de la Escritura es una preparación importante para el camino de gracia que Dios ha diseñado para Su pueblo.

La escalera del resultado

El mensaje redentor de Dios también aparece en textos que son un *resultado* de la obra de Cristo a nuestro favor. Somos justificados, santificados, adoptados y glorificados como resultado de la obra expiatoria de Cristo y gracias a que Él ahora mora en nosotros. Dios escucha nuestras oraciones gracias a la intercesión sacerdotal de Cristo a nuestro favor. Nuestra voluntad es transformada gracias a nuestra unión con Él. Adoramos gracias a la provisión de gracia de Dios para cada aspecto de nuestra salvación.

La provisión antes que el cumplimiento. Finalmente, leer la Escritura con el fin de entender que nuestra condición y acciones son un resultado de la gracia hace dos cosas: (1) nos recuerda que separados de Cristo no podemos hacer nada y (2) mantiene el orden correcto de nuestra identidad y los mandatos de Dios (hay una explicación más extensa sobre esto en los capítulos 3 y 4).

Si el único mensaje que tomamos de un pasaje en particular es que los cristianos deben portarse mejor y saber más, entonces perdemos la idea que quería transmitir el contexto más amplio del pasaje y, en realidad, de toda la Escritura. Como mencioné antes, todas las demás religiones enseñan que las personas deben llegar a Dios por medio de alguna disciplina mental o corporal, pero solo el cristianismo enseña que ese camino es imposible.

Desde sus primeras páginas hasta su versículo final, la Biblia deja claro que nuestra condición caída evita que algún día seamos capaces de llegar a Dios por medio de nuestro cumplimiento o competencia. En cambio, la afirmación única de la fe cristiana es que Dios extiende Su mano hacia nosotros para permitirnos llegar a Él por medio de la provisión de Su Hijo. Dios nos une a Él solo a través de la fe.

Resultados de la gratitud. Los mensajes sin la gracia nos alejan de la esperanza en la provisión de Dios y nos llevan a depender de nuestros recursos humanos. Los mensajes sazonados con gracia producen corazones agradecidos que quieren agradar a Dios. Y los corazones llenos de esta prioridad son motivados a usar los recursos espirituales que nuestro Señor resucitado provee por medio de Su Espíritu que habita en nosotros y de los dones que ha repartido (Ef 4:8-12; Col 3:15-16).

Al escribir a las primeras iglesias, los apóstoles generalmente comenzaban sus cartas con la explicación doctrinal de la gracia que Dios provee por medio de la obra de Cristo. La segunda parte de sus cartas hablaba de las obligaciones espirituales y morales que resultaban de la provisión de Dios. Este patrón nos recuerda no solo que la obediencia es imposible si estamos separados de la gracia de Dios, sino también que la verdadera obediencia se construye sobre la provisión bondadosa de Dios (Ef 2:8-10).

Respuesta a la gracia. Somos hechos miembros de la familia eterna de Dios únicamente por Su gracia. No podemos ganarnos el derecho al cielo, sino que Él nos concede entrada al mismo. Por gracia tenemos la identidad de hijos perdonados del Rey del cielo. Una vida dedicada a honrar a Dios y a obedecer Sus mandatos se construye sobre la identidad que Él nos da, no sobre lo que merezcamos por nuestras obras. Así que cuando enseñamos que hay que obedecer los mandamientos de la Escritura, debemos asegurarnos de presentarlo como una respuesta a la gracia de Dios, no como un medio para reclamarla.

La identidad de adentro hacia afuera. Nunca debemos enseñar o insinuar que nuestra identidad ante Dios se basa en nuestro comportamiento (que es lo que sucede cuando citamos los imperativos de la Escritura separados de la gracia, su fundamento y combustible). Nos "portamos bien" porque *somos* Sus hijos amados, no para *convertirnos* en Sus hijos (Ef 5:1).

Dios nos transforma de adentro hacia afuera, dándonos corazones dispuestos y capaces de vivir para Él. Él no nos ama por lo que hacemos. Hacemos lo que Él ama porque amamos a Aquel que nos ama a pesar de nuestro comportamiento. Ya que nunca nos dejará, ni siquiera cuando le fallemos, nunca *desearemos* fallarle (Ro 5:10; Heb 13:5).

La escalera del reflejo

Ya que la gracia es un aspecto clave para entender el mensaje de la Escritura que culmina en Cristo, los aspectos de Su evangelio se *reflejan* a lo largo de la Biblia.

Dos preguntas clave. Cuando un texto no es una predicción, una preparación o un resultado de la persona o la obra de Cristo, siempre se pueden discernir las verdades redentoras que se reflejan en el texto haciendo dos preguntas:

1. ¿Qué refleja este texto sobre la naturaleza del Dios que nos provee redención?
2. ¿Qué refleja este texto sobre la naturaleza de la humanidad que necesita redención?

En esencia, preguntamos: (1) ¿Qué me dice este texto sobre *Dios*? y (2) ¿Qué me dice este texto sobre *mí*? Estas son preguntas justas que se le pueden hacer a cualquier texto. No requieren grandes esfuerzos de imaginación ni imponerle de forma incorrecta perspectivas del Nuevo Testamento a los textos del Antiguo Testamento. Al final, estas preguntas sencillas son lentes que nos permitirán ver las verdades del evangelio brillando en cualquier pasaje.

Con estas preguntas *no* queremos descubrir: "¿Cuál símbolo de Jesús hay aquí?" ni "¿Cuál evento de la vida de Cristo se prefigura aquí?", ni siquiera "¿Cuál concepto del Nuevo Testamento debo aplicar a este texto del Antiguo Testamento para interpretarlo correctamente?". Basta con preguntar simplemente: "¿Qué enseña este texto sobre *Dios* y sobre *mí*?", para poder ver diferencias entre Su naturaleza y la nuestra, para ver algo que nos separa a menos que Él nos una a Sí mismo, o algo que necesitamos que solo Él puede proveer. En el mandamiento "No robes [nada grande ni pequeño, nunca]" (Éx 20:15), veo que Dios es santo y que yo soy un ladrón que necesita Su perdón y provisión. En un salmo que nos anima continuamente a alabar a Dios, aprendo que Él es digno de alabanza y que me cuesta ofrecerla si no es por medio de Su intervención en mi corazón.

La provisión se puede nombrar específicamente en el texto o es posible que tengamos que discernirla identificando la necesidad humana que requiere la ayuda de Dios. El resultado será el mismo: inevitablemente, estos lentes nos ayudarán a ver que solo Dios provee la gracia que necesitamos y que no podemos proveer para nosotros mismos. Incluso si no se menciona directamente a Jesús —lo que sucede la mayoría de veces— el texto nos ayudará a entender mejor la gracia que debe proveer nuestro Redentor (Hch 20:24; 1Co 2:2; Gá 3:24).

Lentes evangélicos. Estas dos preguntas clave funcionan como lentes evangélicos que nos ayudan a ver las verdades básicas de la gracia que se despliega en la Biblia (por ejemplo, Dios es santo y nosotros no, Dios es soberano y nosotros somos vulnerables, Dios es misericordioso y nosotros necesitamos

Su misericordia). Esos lentes siempre nos ayudan a leer con la consciencia de que necesitamos que la gracia de Dios sea el remedio para nuestro pecado e incapacidad.

Si usamos estos lentes a lo largo del Antiguo y el Nuevo Testamento podremos ver la gracia de la naturaleza de Dios, quien redime al ofrecer fuerza al débil, descanso al cansado, rescate al desobediente, fidelidad al infiel, alimento al hambriento, salvación a pecadores y más (ver capítulo 11). Cuando vemos a Dios proveyendo lo que no podemos proveer para nosotros mismos como seres humanos, la gracia resplandece a lo largo del registro bíblico.

También aprendemos sobre la necesidad que tiene la humanidad de ser redimida cuando nuestros lentes nos revelan que los héroes bíblicos fallan, los patriarcas mienten, los reyes caen, los profetas se acobardan, los discípulos dudan y el pueblo del pacto idolatra. Nuestros lentes evangélicos evitan que presentemos a los personajes bíblicos *solo* como héroes morales que se deben imitar. En cambio, los veremos como el Espíritu Santo quiso mostrarlos: como hombres y mujeres imperfectos que necesitaban la gracia de Dios tanto como nosotros.

Todos los textos, vistos en su contexto redentor, reflejan un aspecto de la condición caída de la humanidad que requiere la gracia de Dios. Inevitablemente, el enfoque en esta condición caída nos aplastará hasta que consideremos las revelaciones adicionales de la gracia divina que culminan con la provisión del Salvador. Cuando lo hagamos, disfrutaremos del gozo que es nuestra fortaleza (Neh 8:10).

Vivir en la gracia

Ya que el amor de Dios por nosotros es el terreno en el que crece nuestro amor por Él, identificar Su gracia en toda la

Escritura no es simplemente un método agradable o novedoso. La exposición regular a la gracia enciende nuestro amor por Dios, el cual es Su mandamiento principal y lo que más nos motiva (Mt 22:37-38; 2Co 5:14).

Identificamos la gracia que impregna la Escritura con el fin de avivar el fuego de nuestro celo por el Salvador. Nuestra meta no es simplemente interpretar bien, sino cultivar un amor profundo por Dios que dé frutos de santidad en nuestras vidas. Cuando honrar a Aquel que amamos por encima de todo se convierte en nuestro mayor deleite, también se convierte en nuestra mayor motivación y en el poder que necesitamos para que nuestras vidas le glorifiquen (Neh 8:10; 1Co 10:31).

Parte 3

RESPUESTAS A PREGUNTAS CLAVE SOBRE LA DINÁMICA DEL CORAZÓN

13

Cómo identificar la gracia en cada pasaje

Sé que el capítulo anterior (el más largo de este libro) respondió la pregunta sobre cómo excavar la gracia en toda la Biblia. Era necesario que esas explicaciones fueran largas y un poco complejas para poder hacerle justicia a la profundidad y la variedad de los textos bíblicos. A veces necesitarás las herramientas más refinadas de ese capítulo, pero aquí te presento un método simple que la mayoría de veces te llevará al mismo lugar en menos tiempo. Voy a repetir algunas cosas pero de una forma que te permitirá identificar rápidamente la gracia que resplandece en todos los textos.

Ponte tus lentes evangélicos

Cuando leas un pasaje de la Escritura, asegúrate de ponerte tus lentes evangélicos. Recuerda, eso significa simplemente hacerte dos preguntas al leer el texto: (1) "¿Qué me dice este texto sobre la naturaleza del Dios que provee redención?", y (2): "¿Qué me dice este texto sobre la naturaleza de la humanidad que necesita redención?". O para que sea más sencillo, pregunta: "¿Qué me dice este texto sobre Dios?" y "¿Qué me dice este texto sobre mí?". Eso no es muy difícil.

Al hacer estas preguntas, también es importante que tengas una idea de qué respuestas esperar. Como dicen por ahí: "Si sales a buscar manzanas, no vas a encontrar naranjas". Así que si estamos buscando gracia, ¿qué es probable que veamos?

Busca la brecha

Si esperas encontrar un tratado teológico profundo en el texto, es muy probable que tus nuevos lentes te decepcionen. Más bien, busca la "brecha" (alguna distancia o disparidad entre la naturaleza de Dios y la nuestra). Eso es mucho más fácil de encontrar. Si buscas aspectos de la naturaleza de Dios notarás rápidamente que, de alguna forma, el pasaje lo muestra como santo, justo y bueno. Al mismo tiempo, verás que nosotros no lo somos (al menos no hasta que Dios haya obrado en nuestros corazones.

Pero esta brecha entre la santidad de Dios y nuestra impiedad no es lo único que revelarán nuestros lentes evangélicos. También mostrarán que Dios está haciendo algo respecto a la brecha. De alguna manera, el pasaje reflejará que Dios está reparando la brecha. Él es el héroe que provee los recursos, la determinación, la revelación o el rescate que se necesita y, de este modo, revela Su gracia. Provee lo que la humanidad necesita pero no puede proveerse a sí misma. ¡Eso es gracia!

Busca al héroe

La mayoría de veces podemos encontrar la gracia en el texto preguntando: "¿Cómo se ve el rescate de Dios?". Usualmente sabemos que hemos encontrado gracia en el texto si podemos explicar cómo Dios es el héroe principal. Incluso si hay héroes humanos, debemos dejar claro que su heroísmo es resultado de la gracia de Dios. Sus recursos, sabiduría, valentía, oportunidades o determinación vienen de Dios. No tenemos que negar que los héroes humanos son heroicos, pero nunca debemos olvidar que son humanos. Separados de la gracia de Dios, no podrían hacer nada (Jn 15:5).

Encontrar la gracia de esta manera primero significa que no siempre la veremos como una revelación completa de la vida, la muerte y la resurrección de Jesús. La Biblia despliega el mensaje de la gracia a lo largo de los siglos y este no se desarrolla completamente en el Antiguo Testamento, sino que se va forjando hasta su culminación en Cristo. A medida que avanzamos en nuestra lectura de la Biblia vemos más y más de la gracia de Dios, de modo que cuando aparece Jesús, entendemos Su naturaleza y obra de gracia.

Busca los destellos

Esto significa que en muchos pasajes del Antiguo Testamento solo veremos un destello de la gracia antes de ver su resplandor en el Nuevo Testamento. Cada vez que Dios da fuerzas a los débiles, alimento a los hambrientos, descanso a los cansados, libertad a los esclavos, regreso a los exiliados, fidelidad a los infieles, Su Palabra a los olvidadizos, Su amor a los que no lo merecen, Su perdón a pecadores y todas las demás bendiciones que la humanidad no puede proveer para sí misma, aprendemos sobre la gracia que alcanza la plenitud de su gloria en Jesús.

Ver que la gracia se desarrolla de esta manera (pasando de destellos a la gloria) en toda la Escritura también evita que tratemos de hacer que la gracia aparezca mágicamente con referencias alegóricas a Cristo o a la cruz. La interpretación alegórica depende más de nuestra imaginación que de los buenos principios de la Escritura; trata de hacer que la madera del arca de Noé represente la cruz de Cristo y que las aguas del mar Rojo se transformen en el vino de la Cena del Señor. Las buenas intenciones no excusan las malas interpretaciones. No hay una lógica bíblica que compruebe que estas conclusiones específicas fueran lo que los autores querían transmitir (o que sean las únicas posibilidades). Sin embargo, en estos relatos tenemos una gran oportunidad para señalar que la forma en que Dios rescató a Noé y a los israelitas definitivamente representa la gracia de Su naturaleza. Si vamos a usar nuestros lentes evangélicos para ver y compartir la gracia que está en el texto, interpretaremos la Biblia como Dios quiso que se hiciera.

Mira el contexto

Pero ¿qué sucede si no se menciona la gracia en el pasaje? ¿Qué pasa si el texto es simplemente un mandato o una lista larga de cosas por hacer? ¿Qué hay de pasajes como el Salmo 150 (que nos dice todas las formas en que deberíamos alabar a Dios) o los Diez Mandamientos (que nos dicen muchas cosas que *no* debemos hacer) o Romanos 12:9-21 (que nos dice muchas cosas que debemos hacer)?

Aquí tienes dos sugerencias: (1) busca la gracia en el trasfondo espiritual y (2) busca la gracia en el contexto histórico o literario.

El trasfondo espiritual

Podemos descubrir el trasfondo espiritual cuando preguntamos el *porqué* del texto. Si hay varios mandatos, tales como "¡Que todo lo que respira alabe al Señor!" (Sal 150:6), entonces pregunta: "¿*Por qué* Dios da este mandato?". La respuesta no puede ser simplemente que necesitamos esta instrucción como información. Dios desea que cumplamos Su mandato, y el hecho de que tenga que darlo, explicarlo y recordárnoslo repetidamente indica que necesitamos ayuda con nuestra adoración. Él es infinitamente digno de alabanza y casi nunca se la damos como deberíamos hacerlo. Aquí hay una brecha; una que Dios cierra con Su gracia al instruirnos cómo podemos y debemos alabarlo. Él no nos deja con preguntas ni desorientados. Nos guía a Sí mismo y nos ayuda a alabarlo de tal forma que le glorifique a Él y nos bendiga a nosotros. Eso, de nuevo, es gracia.

El contexto histórico

La gracia también puede ser evidente en el contexto histórico de los mandatos. En un texto como Éxodo 20:1-7 (los Diez Mandamientos), Dios le recuerda a Su pueblo que la obediencia es una respuesta a Su rescate. Antes de darles un solo mandato, les recuerda: "Yo soy el Señor tu Dios. Yo te saqué de Egipto, del país donde eras esclavo" (Éx 20:2). ¿Dónde se ve la gracia en esa afirmación? La respuesta se vuelve evidente cuando consideramos el orden de las palabras y de los actos de Dios. Él nunca dijo: "Obedézcanme y *entonces* los libraré de la esclavitud". Nunca hizo que las acciones de Su pueblo fueran un prerrequisito para Su cuidado. Actuó a su favor antes de que ellos actuaran en obediencia.

En esta situación, las palabras de Dios reflejan la historia de Su obra. Su cuidado vino antes de Sus mandatos y continuó a pesar de la infidelidad de Su pueblo. El contexto histórico de los mandatos revela la gracia de la naturaleza de Dios y debe ser explicado junto con los mandatos para que las personas no piensen que su obediencia es lo que hace que Dios muestre gracia. Esto aplica para este pasaje y para los muchos pasajes históricos de la Biblia que ponen los mandatos en el contexto de la obra redentora de Dios.

El contexto literario

La gracia también puede ser evidente en el contexto literario de un pasaje. Por ejemplo, Romanos 12:9-21 tiene muchos mandatos para los creyentes del Nuevo Testamento. Pero esta carta del apóstol Pablo no contiene mucha información histórica sobre la iglesia en Roma. Lo que la carta sí contiene es una explicación extensa de lo que Dios hizo para redimir a Su pueblo por medio de la obra de Jesucristo. Los mandatos van después de los capítulos que explican la gracia redentora de Dios. La carta está diseñada para hacer que nuestra obediencia sea una respuesta amorosa al favor inmerecido de Dios.

La estructura literaria de la carta de Romanos (y de casi todas las demás epístolas del Nuevo Testamento) enseña el mismo mensaje que los Diez Mandamientos: el cuidado de Dios precede Sus mandatos. Nuestra obediencia es nuestra manera de responder a Su gracia, no nuestra manera de ganárnosla. El contexto literario revela la gracia de Dios y la forma en que Su pueblo responde a ella. Dos puntos principales para nosotros: (1) la gracia no elimina los mandatos de Dios y (2) los mandatos de Dios no se deben enseñar fuera del contexto de la gracia.

El *qué* no es suficiente

Para interpretar las instrucciones bíblicas correctamente, tenemos que encontrar la gracia que forma el contexto. Si nos ponemos nuestros lentes evangélicos, la gracia se volverá evidente. No basta con decir simplemente *qué* sucedió o *qué* demanda Dios. Necesitamos descubrir la gracia que está presente para poder mostrar *por qué* el Espíritu Santo proveyó el texto y *cómo* debemos responder. De alguna forma, Dios desea inspirarnos, animarnos, enseñarnos o hacernos humildes con Su gracia para que le amemos y le sigamos. La gracia estimula nuestro amor y nuestra lealtad. Entender esos propósitos nos lleva a nuestras siguientes preguntas sobre cómo la gracia afecta la forma en que aplicamos los textos bíblicos.

14

Cómo evitar el legalismo

Si la gracia no anula los mandatos de Dios, ¿cómo afecta la forma en que los enseñamos? ¿Realmente podemos insistir en la obediencia a las leyes de Dios sin volvernos legalistas y decir indirectamente que Su amor depende de nuestro comportamiento? Estas preguntas se reducen a la forma en que entendemos el propósito de los mandatos de Dios. ¿Nos los da Dios para que podamos experimentar el amor que Él nos ofrece gratuitamente o para que podamos *ganarnos* Su amor? Ya que para Él nuestras mejores obras son como "trapos de inmundicia" (Is 64:6), sabemos que ganarnos el afecto divino siempre será imposible para nosotros. Esto significa que Dios nos ha dado Su ley para que experimentemos, no para que nos ganemos, Su bondad en nuestras vidas. Esta meta nos recuerda que debemos mantener Su gracia en el fundamento de toda instrucción bíblica.

Ten cuidado con los "seres" mortales

Ya hemos hablado de por qué las explicaciones cristianas de la Biblia no deberían ser simples instrucciones que nos animen a ser como algún héroe bíblico (ver capítulo 12). Parece que la Biblia está decidida a empañar la reputación de casi todos sus héroes, y eso es para que reconozcamos que solo hay un verdadero héroe. Su nombre es Jesús. Reconocer Su naturaleza única debería ayudarnos a evitar los mensajes que parecen instrucción bíblica pero que en realidad son fatales para el espíritu cristiano. Yo le llamo a este tipo de mensajes los "seres" mortales.

"Ser como..."

Los mensajes en los que toda la instrucción se basa en "ser como" este o aquel personaje bíblico fallan porque, por lo general, la historia completa de cualquier personaje revela defectos espantosos. Los patriarcas mintieron y conspiraron, los jueces fueron crueles y cobardes, los reyes codiciaron y cedieron ante presiones pecaminosas, los profetas se quejaron y huyeron, y los apóstoles traicionaron y también huyeron. Por supuesto, sus fracasos no son toda la historia, pero su rectitud tampoco lo es. Todos necesitaron grandes dosis de gracia para cumplir con los propósitos de Dios para sus vidas.

Enseñando toda la verdad

Debemos aprender de las características ejemplares de los héroes bíblicos e imitarlas, pero no debemos ignorar su humanidad. Si hablamos solo de lo bueno y le decimos a las personas: "Deberían ser así", acortamos el mensaje bíblico y confundimos a nuestros oyentes. Lo bueno sucedió porque Dios bendijo más allá del esfuerzo y los logros humanos. Aunque Dios nos enseña sobre el buen comportamiento y los caminos de bendición por medio de la vida de personajes bíblicos, también nos enseña que como criaturas humanas necesitamos la ayuda divina para vivir de esa manera. Allí es donde entra la gracia.

Enseñar a la gente a simplemente imitar algún rasgo bueno de un personaje bíblico no está mal *en sí mismo*, pero está mal *por sí solo*. Tal instrucción implica que la aprobación de Dios y nuestra rectitud se tratan simplemente de tener suficiente sabiduría y fuerza de voluntad. Ese definitivamente no es el mensaje de la Biblia, la cual presenta continuamente la naturaleza caída de la humanidad.

Evitando el orgullo y la desesperación

Enseñar a las personas a imitar a algún personaje noble de la Biblia sin enseñarles a depender de la gracia que necesitaba dicho personaje para ser noble solo crea orgullo (en los que piensan que pueden) y desesperación (en los que saben que no pueden). Si quieres poner a prueba esa conclusión, pregunta a las personas lo que piensan sobre su responsabilidad de "ser como Jesús". Ten cuidado con aquellos que creen que pueden hacerlo y muéstrale gracia a aquellos que saben que no pueden. Dios nos da el ejemplo de Su Hijo para que moldeemos nuestros caminos de acuerdo con Su corazón, pero sin olvidar lo mucho que necesitamos Su gracia para hacerlo.

"Ser bueno"

Los mensajes que nos llaman a "ser como" alguien son muy parecidos a los mensajes que nos llaman a "ser buenos". Ahora, ¿cómo es posible que haya algo malo en pedir a las personas que se porten bien? ¡Ciertamente no queremos decirles que se porten mal! De hecho, no hay nada malo con los mensajes que llaman a los oyentes a "ser buenos", a menos que eso sea lo único que les digamos.

Evitando el veneno espiritual

Es evidente que en la Biblia hay muchos mensajes llamándonos a "ser buenos". Los mandatos, los ejemplos y la insistencia en que cuidemos de los demás nos dirigen constantemente a vivir una vida santa. Dios incluso dice: "Manténganse santos, porque Yo soy santo" (Lv 11:44). Pero este es el problema. La santidad es el resultado de la pureza absoluta. Una persona santa no tiene absolutamente ninguna falla ni defecto, nunca. ¿Cómo podríamos ser santos sin la provisión de Dios? Él también nos dice: "No hay un solo justo, ni siquiera uno" (Ro 3:10). Por lo tanto, si Él no nos habilita para ser santos, nunca acumularemos las buenas obras necesarias para ser lo suficientemente buenos ante un Dios santo.

Muchos maestros bienintencionados de escuela dominical han tratado de animar a las personas a que se porten bien de esta manera: "María, si te portas bien, Jesús te amará". Dicen estas palabras con cariño y dulzura, pero son un veneno espiritual (ver capítulo 4). Jesús nos ama no porque seamos buenos, sino porque Él es bueno. Enseñarle a un niño que el amor de Dios depende de nuestra bondad es perjudicial para su alma.

Aceptando la distinción cristiana

El cristianismo es distinto. A diferencia de todas las demás religiones del mundo, el cristianismo no enseña que algún nivel de bondad, esfuerzo o trascendencia mental nos hará capaces de alcanzar el cielo. Tan altos como están los cielos de la tierra, así de lejos están los estándares santos de Dios de nosotros (1S 2:2; Is 6:1-3). Para unirnos a Él, Él debe extender Su mano hacia nosotros, lo cual hizo por medio de la persona y la obra de Jesús. Enseñar que nuestra bondad nos acercará a

Dios sin mencionar Su gracia no es meramente subcristiano (decir menos de lo que se debe decir); más bien, es anticristiano (enseñar algo que va en contra de la fe cristiana).

Muchos lectores estarán de acuerdo con esto, pero podrían estarse preguntando si tenemos que mencionar la gracia de Dios cada vez que animemos a los cristianos a obedecer. El argumento puede ser que la gracia es un tema que se da por sentado —las personas la escuchan con tanta frecuencia que es el trasfondo y fundamento de nuestra instrucción, aun cuando no la mencionamos directamente. No puedo negar esta posibilidad categóricamente, pero quiero señalar que la mayoría de personas no suelen funcionar de esta manera.

La respuesta instintiva de los seres humanos

Aun cuando predicamos la gracia, la mayoría escucha la ley. Creen que Dios los ama, acepta y favorece porque han cumplido con Sus requisitos. Reconocerán que no son perfectos, pero creen que Dios los acepta porque han estado a la altura de algún estándar arbitrario de bondad. Al hacerlo, miden su suficiencia no solo por comparaciones humanas ("soy mejor que la mayoría de personas o, al menos, mejor que las peores personas"), sino también degradando la santidad de Dios. No reconocen que amontonar obras para agradar a Dios en realidad aumenta la distancia entre Él y nosotros; las obras se quedan cortas frente a Su estándar de santidad si no han sido purificadas por Su gracia (Is 53:6; Lc 17:10).

Si estamos ante una congregación donde la gracia forma parte del trasfondo mental de la mayoría de los que nos escuchan, eso sería una excepción a la norma. El instinto humano desde la Caída de nuestros primeros padres es la autojustificación: "Yo cumplo los requisitos para obtener los beneficios de

Dios porque soy lo suficientemente bueno". Así que si nuestras enseñanzas bíblicas se limitan a promover el buen comportamiento, consentimos esta respuesta instintiva y profundizamos sus raíces en los corazones de las personas. La enseñanza cristiana madura reconoce esta forma de pensar innata en los humanos y se opone tajantemente a ella con una dosis regular de gracia. Sin una dieta como esta, los instintos anticristianos se arraigarán aún más cuando les estemos enseñando que deben portarse bien.

¿Aceptable en una mezquita o sinagoga?

Una forma de poner a prueba si estamos predicando la gracia lo suficiente como para formar creyentes humildes, agradecidos y leales es preguntándonos: "¿El mensaje que acabo de enseñar sería aceptable en una sinagoga o mezquita?". Obviamente, ningún judío se ofendería con un mensaje cuya conclusión es: "No debes robar". Y ningún musulmán se opondría si le dices: "Sé fiel a tu cónyuge". Pero ¿realmente podemos concluir el mensaje luego de haber explorado todas las dimensiones del robo y adulterio, y acabar con un resonante: "¡No lo hagan!"?

Algunos podrían responder honestamente: "Sí. Creo que los que me escuchan conocen la Escritura lo suficiente como para que no sea necesario que esta semana yo fundamente todos los mandatos en la gracia". Muy bien. Ese argumento podría ser lógico. Pero se debe hacer otra pregunta: "¿El mensaje de la semana pasada también habría sido aceptable en una sinagoga o mezquita? ¿Y el de la semana anterior? ¿Y el de la semana antes de esa?". Si examinamos estas preguntas con rigurosidad y honestidad y la respuesta es sí, es poco probable que los oyentes entiendan de forma apropiada lo que significa vivir motivados y capacitados por la gracia. Y es prácticamente inevitable que el mensaje pierda su esencia cristiana.

Honrando al Salvador y al Espíritu

Portarse bien es importante, pero enseñar (o decir indirectamente) que las personas pueden ser lo suficientemente buenas como para que un Dios santo los acepte sobre la base de su comportamiento solo puede conducir al orgullo o a la desesperación que mencionábamos antes (ver capítulo 6). Luchar por la piedad en respuesta a la gracia de Dios agrada a nuestro Salvador. Obedecer para que Él nos acepte sin tener en cuenta Su gracia es un insulto para Él, pues estamos insinuando que Su sacrificio a nuestro favor es irrelevante y que el poder de Su Espíritu Santo en nuestro corazón es innecesario. Tal vez no lo hacemos intencionalmente, pero tratar de ser buenos sin depender de la gracia de Dios nos aleja de Él. Nuestra bondad, en vez de honrarlo, se convierte en una barrera para la humildad que nos impide recibir Sus bendiciones.

"Ser disciplinado"

El último "ser" mortal es "ser disciplinado", y puede que sea el más común en nuestra enseñanza y predicación por la dinámica mencionada anteriormente. El que enseña la Biblia con regularidad no tarda en descubrir que de toda nuestra instrucción moral, hay muy poco que sea realmente novedoso para la mayoría de personas.

Solo esfuérzate más

Aunque la gente reconoce que hay muchos aspectos en los que no logra honrar los requerimientos de Dios, los estándares no les sorprenden. Casi nadie sale de un lugar donde recibe instrucción bíblica con regularidad diciendo: "¡Estás bromeando! ¿De verdad Dios no quiere que yo robe?", ni: "No sabía que la Biblia quería que yo fuera fiel a mi cónyuge [o que lo perdonara o que controlara mi ira]". La mayoría de personas que se sientan a escuchar nuestra enseñanza ya conocen los mandatos bíblicos que les comunicamos.

Teniendo esto en cuenta, los que enseñamos la Escritura con regularidad pasamos más tiempo explicando formas de cumplir con las obligaciones bíblicas que presentándoles estándares que no conocen. En vez de decirles cosas nuevas que deben hacer, les decimos que hagan lo que ya saben que deben hacer, pero que lo hagan mejor que antes. Con variaciones respecto a la urgencia, el incentivo, la inspiración o las consecuencias, les decimos que se esfuercen más y que sean más constantes en su aplicación de la Escritura.

Solo haz más

Y para ayudarles a mejorar en lo que ya saben hacer, los animamos a volverse cada vez más disciplinados en sus hábitos espirituales. Les decimos: "Lee más la Biblia. Ora más. Asiste más a la iglesia… ¡sobre todo a la mía!". Por supuesto, no hay nada malo con decir a las personas que mejoren sus disciplinas espirituales, a menos que sea lo único que les digas.

¿Cómo mides ese "más"? ¿Cuánto más será suficiente para contentar a un Dios santo o para alcanzar niveles suficientes de desarrollo espiritual para agradarle? La respuesta, por supuesto, es que nunca habrá suficiente "más" en nuestro rendimiento como para que merezcamos la aprobación de Dios o seamos librados de Su juicio. Como mencioné previamente (cap. 9), debemos aprender a ver las disciplinas espirituales como alimento y no como soborno si queremos que sean un beneficio para nuestra vida espiritual. Pero esta perspectiva se vuelve casi imposible si el mensaje que escuchamos (o enseñamos) es solo que debemos hacer más y más y más.

La gracia en las disciplinas espirituales

Un mensaje que llama a la gente a hacer "más" —sin tomar en cuenta las verdades de la gracia que nos aseguran el amor de Dios y nos llevan a anhelar la comunión con Él a través de Su Palabra, la oración y Su pueblo— solo nos enseña a construir y mantener nuestra relación con Dios sobre el fundamento de nuestros esfuerzos. Las disciplinas espirituales solo son de bendición cuando la belleza de la gracia de Dios nos lleva a Su Palabra, levanta nuestros corazones en oración y nos une a Su pueblo por medio de la Palabra, la adoración y los sacramentos.

15

Cómo predicar la ley y la gracia

Las advertencias sobre los "seres" mortales no implican que ese tipo de instrucciones sean irrelevantes, poco importantes o innecesarias. La Biblia nos da ejemplos claros de personas para "ser como" ellas, muchas instrucciones para "ser buenos" y directrices claras para "ser disciplinados" con los medios de gracia. Así que, teniendo en cuenta mis fuertes advertencias sobre los "seres" mortales —que separan los mandatos de la gracia que debería motivarnos y capacitarnos para obedecerlos—, debo reiterar que no estoy sugiriendo que ignoremos los mandatos bíblicos ni les restemos importancia. Como ya hemos visto, estos mandatos no son malos *en sí mismos*; pero está mal enseñarlos *por sí solos*.

Un camino de gracia

Esta es la razón por la que los mandatos siguen siendo importantes a pesar de las distorsiones en la enseñanza de los "seres" mortales. La ley de Dios es un reflejo de Su carácter y cuidado (ver capítulo 6). Él ha diseñado un camino bueno y seguro para Su pueblo por medio de las instrucciones de Su

Palabra. Privar a las personas de la enseñanza de este camino no demuestra gracia en absoluto. Más bien, nuestro amor por Dios y por Su pueblo nos obliga a ser muy firmes y claros al comunicar el camino de seguridad y bendición que Él ha diseñado para ellos.

También necesitamos advertir a las personas que, al abandonar el camino, no solo deshonran a Aquel que se los dio, sino que ellos mismos se ponen en peligro. Pero, aun mientras les advertimos, necesitamos dejar claro que el camino fue diseñado por una mano que ya ha demostrado Su gracia a través de Su bondad y amor; una gracia que diseñó el camino y que restaura a aquellos que se salen de él. Andar por ese camino nos permite experimentar la gracia de Dios, no ganárnosla. La gracia estuvo presente cuando Dios diseñó el camino, y no es simplemente el destino que se ganan los que logran permanecer en él.

Una meta clara

Al citar la bondad e importancia de la ley de Dios, no me estoy retractando de la necesidad de arraigar esos mensajes sobre una base de gracia. La meta *no* es encontrar el equilibrio correcto entre la ley y la gracia. La enseñanza bíblica sólida no es un punto medio entre el legalismo y el libertinaje.

En esencia, el legalismo enseña que podemos estar bien con Dios gracias a lo que hacemos (o no hacemos): portarnos bien, permanecer puros, ir mucho a la iglesia, no mentir, no robar, no ver películas malas, no hacer trampa en los exámenes, no engañar a nuestro cónyuge, leer la Biblia todos los días, etc. El mensaje esencial es que el buen comportamiento nos acerca a Dios.

Podría parecer que un liberal religioso, a quien no le preocupa tanto la moralidad conservadora, enseña algo muy diferente: cuidar a los pobres, limpiar el medioambiente, no tolerar la intolerancia, amar sin barreras, proveer atención médica para todos, etc. Pero si las personas creen que estas actividades las vuelven aceptables ante Dios, están cayendo en la misma religión de los legalistas: el buen comportamiento nos acerca a Dios. Los legalistas y los liberales difieren en cuanto a los comportamientos que promueven, pero no en cuanto a la premisa de que el comportamiento es nuestro puente hacia Dios.

Nunca se trata de equilibrio

El cristianismo no se trata de equilibrar estas dos perspectivas político-morales. No se encuentra entre las muchas religiones que establecen que nuestra relación con Dios depende de nuestro comportamiento. La Biblia enseña que nuestra relación con Dios se establece por fe en la obra de Cristo. Su gracia, no nuestra bondad, es lo único que define el amor de Dios por nosotros.

Cada vez que nuestras enseñanzas bíblicas sobre la moralidad o el buen comportamiento dejan por fuera la gracia, estamos distorsionando —e incluso contradiciendo— el mensaje cristiano. Eso significa que los que enseñan la Palabra no deben encontrar un equilibrio entre la ley y la gracia para guiar al pueblo de Dios hacia una relación correcta con Él; no se trata de predicar un poco de la ley una semana, un poco de gracia la siguiente semana y esperar todas las semanas que las personas no se aferren demasiado a ninguna de las dos. El evangelio no es un equilibrio entre la ley y la gracia. Es la buena noticia de la gracia que da como resultado vidas agradecidas y santas.

La gracia: el fundamento y el combustible

Para promover esta gratitud y santidad, es necesario que dejemos claro el camino seguro y bueno que Dios diseñó por medio de Sus instrucciones en la Biblia. Pero debemos dejar igual de clara la razón por la que sigue siendo seguro, aun cuando nos cuesta permanecer en él. La gracia de Dios diseñó el camino, es la base del camino, rodea los bordes y se encuentra al final del mismo. Los que andan por el camino sin darse cuenta de esto no conocen la seguridad ni la paz que Dios desea que tengan en su caminar con Él. La gracia no se debe equilibrar con los mandatos de la Biblia; más bien, es la base de su existencia y el combustible para su cumplimiento. La próxima pregunta que debemos responder es cómo unimos todo esto en nuestra aplicación regular de la Escritura.

16

Cómo aplicar la gracia a la instrucción (parte 1)

Cuando aplicamos los mandatos y las doctrinas de la Escritura, no estamos simplemente asegurándonos de equilibrar medidas correctas de ley y gracia; más bien, estamos construyendo el deber sobre la gratitud.

Debe ser orgánico

Si no presentamos la relación orgánica e íntima que hay entre el deber y la gratitud, parecerá que hay una tensión entre ellos. La ley se verá como legalismo y la gracia se verá como libertinaje, a menos que construyamos nuestra obediencia sobre el fundamento del amor producido por la gracia. El amor a Dios es lo que moverá nuestros corazones para que levantemos las manos con gratitud y santidad al adorar a Dios, al trabajar y al amar a otros.

Cuatro preguntas clave

Conservamos la unión orgánica de la gracia y la obediencia cuando respondemos constantemente estas cuatro preguntas en nuestras aplicaciones de los textos bíblicos: *qué, dónde, por qué* y *cómo*. Examinaremos el *qué* y el *dónde* en este capítulo, y el *por qué* y el *cómo* en el siguiente.

Qué hacer

La pregunta del *qué* nos lleva a considerar los actos que Dios demanda de Su pueblo como consecuencia de la instrucción que hay en el texto bíblico. Algunas veces lo vemos como el deber que demanda el texto. Se puede plantear específicamente como un mandato o se puede derivar lógicamente como una implicación de la verdad que se ve claramente en el pasaje.

Hablar de lo que Dios demanda no es legalista. Como mencioné antes (capítulo 6), identificar el camino de seguridad y bendición que Dios ha diseñado para Su pueblo no es una muestra de falta de gracia. Ayudamos al pueblo de Dios a conocer el camino porque andar en él honra a Dios, muestra el carácter de Su santidad y amor, y bendice a los que protege de la tristeza y el sufrimiento que experimentaron fuera de sus límites.

Cuando el pueblo de Dios entiende que el deber y la doctrina en la Escritura tienen como fin promover la gloria de Dios y su propio bien, se deleitan en la ley del Señor y desean conocerla (Sal 119:97). Quieren honrar al Dios que los ha salvado por medio del sacrificio de Su Hijo y desean experimentar las bendiciones que promete a los que andan en Sus caminos.

Perjudicamos a las personas cuando no proclamamos los mandatos de la Escritura por creer equivocadamente que los mandatos en sí mismos son legalistas. Aunque ciertamente la enseñanza (o insinuación) de que la obediencia nos hace merecedores de la gracia es antibíblica y perjudicial, no enseñar lo que Dios manda también es antibíblico y muestra una falta de amor. Los corazones que han sido cautivados por la gracia quieren saber cómo pueden servir y agradar a su Salvador.

Dónde hacerlo

El deber y la doctrina que enseña la Escritura no ayudarán mucho a las personas si se ven como conceptos abstractos. Si parece que el deber y la doctrina que enseñamos no tienen relación con la vida cotidiana, entonces el Dios que los dio se verá igual de remoto. Podría ser mucho más simple (y seguro) que el maestro de la Biblia evite aplicar las instrucciones de la Escritura a las situaciones específicas que están enfrentando los oyentes, pero eso no es lo que necesita ni lo que desea el pueblo de Dios.

Cuando muchos de nosotros comenzamos a enseñar la Biblia, creemos equivocadamente que en realidad el pueblo de Dios no quiere que la Palabra le plantee desafíos. Pero, aunque ciertamente es verdad que el corazón frío o rebelde no desea los mandatos de Dios, los que tienen corazones sensibles a Su Espíritu quieren escuchar cómo pueden honrar a su Señor. Desean saber dónde la Palabra de Dios hará una diferencia en sus vidas. Quieren ser retados con la Palabra para poder caminar más cerca de Aquel que la dio.

Los puntos específicos que deberíamos cubrir. La buena aplicación identifica cómo se ponen en práctica las instrucciones específicas de la Palabra en las situaciones específicas de nuestras vidas. Identificar aspectos específicos para diferentes oyentes puede parecer una tarea abrumadora. Después de todo, los detalles del texto bíblico son los que proveen las instrucciones específicas que se deben aplicar. Sin embargo, las situaciones específicas en las que aplican estas instrucciones usualmente surgen de la experiencia de vida del maestro. El maestro necesita conocer los retos espirituales que están enfrentando los oyentes para poder hacer aplicaciones útiles y realistas.

Hay dos procesos que ayudan a los maestros de la Biblia a identificar esas aplicaciones: (1) compartir la vida con el pueblo de Dios y (2) hacer las preguntas que ellos harían.

¿Qué significa "compartir la vida con el pueblo de Dios"? El apóstol Pablo lo explicó cuando habló del ministerio que hizo la diferencia para los creyentes en Tesalónica. Dijo: "Así nosotros, por el cariño que les tenemos, nos deleitamos en compartir con ustedes no solo el evangelio de Dios, sino también nuestra vida. ¡Tanto llegamos a quererlos!" (1Ts 2:8). Cuando compartimos nuestras vidas con el pueblo de Dios, conocemos sus circunstancias de una forma que nos permite llevar el evangelio a las áreas sensibles de sus situaciones. Aplicar las verdades de la Escritura no solo requiere el estudio de comentarios, sino también alegrarse con los que se alegran y llorar con los que lloran (Ro 12:15) en graduaciones y partidos de fútbol, en hospitales y hogares, en bodas y funerales, en la oficina y en el parque, en sus casas y en la tuya. Es compartir la vida con el pueblo de Dios.

Las preguntas que hay que hacer. Cuando conocemos las circunstancias de las personas, sabemos cuáles son las áreas de sus vidas donde se deben aplicar instrucciones particulares de la Escritura. Si esto parece difícil, hay un proceso sencillo que puede ayudarnos a ir más allá de la aplicación abstracta: podemos responder las preguntas de *dónde* entrando por la puerta del *quién*. Después de haber discernido el deber o la doctrina que enseña un pasaje de la Escritura, abrimos la puerta mental de nuestras experiencias con otros y nos preguntamos: "¿Quién necesita escuchar esto?".

El tacto y la sensibilidad casi siempre nos impiden identificar públicamente a quién nos dirigimos (o los detalles de sus situaciones). En vez de hablar de personas específicas, lo que hacemos es hablar de forma general sobre las situaciones que esas personas están enfrentando. Este proceso nos permite hablar de categorías de personas y de las formas en que la Escritura se aplica a sus vidas. De esta forma podemos hablar con gran sensibilidad y ser específicos para las situaciones que nuestros oyentes están enfrentando sin hablar específicamente de quién nos ayudó a considerar esas aplicaciones.

Si dependemos del Espíritu al discernir estas cosas y comunicarlas con discreción, las personas se acercarán con expresiones de gratitud como esta luego de la enseñanza: "¿Cómo supiste que eso sería tan útil para mí? ¿Has estado leyendo mi correo?". Esperemos que ninguno de nosotros responda que sí a esa última pregunta, sino que silenciosamente le demos gracias al Espíritu Santo por traer a nuestra mente a quienes estaban luchando en ese aspecto de la vida, para que pudiéramos dirigir la verdad del texto a donde era necesario.

Quitar cargas en vez de hacer listas. La forma común de aplicar la Escritura donde se da una lista de deberes al final de una lección bíblica simplemente carga a las personas. La aplicación se vuelve una tarea donde nos inventamos nuevos deberes que demuestran la creatividad o seriedad del maestro a expensas de la paz o el gozo de los oyentes. Un mejor método enfoca el deber y la doctrina del texto en las situaciones reales que suponen un reto para los oyentes. Ayudarlos a enfrentar sus retos con conocimiento y claridad de la Escritura les quita las cargas que llevan, en vez de agregarle peso a las preocupaciones que ya tienen.

Para las personas es fácil eludir el deber y la doctrina cuando son abstractos, y también es fácil dejar de lado al Dios que los ha dado. Las listas de deberes cargan y crean resentimiento hacia Dios, quien parece ser simplemente un supervisor. La aplicación que ayuda a las personas a lidiar con los retos espirituales específicos de la vida cotidiana conduce a un aprecio de la Palabra de Dios y del corazón del Pastor que la dio. Ese aprecio es necesario para motivar y capacitar adecuadamente al cristiano. Eso es lo que veremos en el próximo capítulo.

17

Cómo aplicar la gracia a la instrucción (parte 2)

En el capítulo anterior consideramos dos de las cuatro preguntas clave que siempre se deben responder para aplicar las instrucciones bíblicas: (1) *qué* hacer y (2) *dónde* hacerlo. Este capítulo habla de las otras dos preguntas clave que nos ayudan a aplicar la verdad bíblica con poder y con una motivación piadosa: (3) *por qué* hacemos lo que Dios enseña y (4) *cómo* hacemos lo que Dios enseña.

Por qué lo hacemos

Quizá parezca que decirle a alguien *qué* hacer y *dónde* hacerlo es suficiente para cubrir la aplicación de la Escritura, pero hay más. Si nuestra intención es construir el deber sobre la gratitud, entonces también tenemos que asegurarnos de que el pueblo de Dios le sirva con las motivaciones apropiadas. Además de saber qué hacer, necesitamos saber *por qué* lo hacemos.

Razones equivocadas

Como dice el dicho: "Hacer lo correcto por motivos incorrectos es incorrecto". Esto puede parecer obvio, pero si este principio no se establece claramente, confundiremos al pueblo de Dios (aunque les estemos dando las instrucciones correctas).

¿Cómo se puede confundir al pueblo de Dios con las instrucciones correctas? Piensa en los tiempos del Antiguo Testamento, cuando Dios le dijo a Su pueblo que le repugnaban sus sacrificios (Sal 51:17; Pro 15:8; Is 65:5; Am 5:21-22). Los sacrificios en realidad son algo bueno y son un mandato de Dios en el Antiguo Testamento, pero si se ofrecían simplemente para apaciguar a Dios de tal forma que el pueblo pudiera ignorar su pecado, o para asegurarse de que Jehová recibiera Su pago y fuera bueno con ellos como los otros dioses que adoraban, entonces Dios despreciaba los sacrificios.

Similarmente, si la motivación de nuestra adoración hoy es aplacar a Dios para poder seguir pecando, la adoración es pecado, sin importar lo correctas que sean nuestras palabras al orar o el entusiasmo con el que cantemos. Y si la razón por la que leemos la Biblia, o extendemos nuestros tiempos de oración, o nos unimos a una iglesia o actuamos bien es para sobornar a Dios y lograr que sea bueno con nosotros, entonces nuestras disciplinas espirituales lo que hacen es distanciarnos de Su gracia.

Razones honorables

En la obediencia que verdaderamente agrada a Dios, la motivación es tan importante como la instrucción. Aquí es donde la gracia no solo es importante sino fundamental en la aplicación. Necesitamos asegurarnos de que hemos identificado la gracia en el pasaje (ver capítulos 12 y 13) para que las motivaciones de nuestros oyentes, así como sus actos, honren a Dios. Si no lo hacemos, la obediencia se puede convertir más bien en un obstáculo para experimentar el amor de Dios.

Amor por Dios. Al identificar la gracia en el pasaje, nos aseguramos de que los oyentes no estén intentando usar su obediencia para ganarse el amor de Dios o para merecerse Su aceptación. Si se pudiera comprar el corazón de Dios, nuestra obediencia sería un soborno y la medida de Su cuidado la determinaría el peso de los "trapos de inmundicia" que ponemos delante de Él (Is 64:6).

La verdadera obediencia siempre es una respuesta de amor a la gracia de Dios, no un intento vano por ganarla. El corazón que comprende la grandeza de la gracia de Dios lo ama. Y el amor por Él nos impulsa a vivir para Él.

Amor por los que Dios ama. El amor por Dios también despierta otros amores que le agradan y motivan a Su pueblo (ver cap. 8). Ya que amamos a Dios, amamos a quienes Él ama y las cosas que Él ama. Dios ama al que no es fácil de amar, al rechazado, al oprimido, al huérfano y a la viuda en angustia. Ama al mundo que ha creado y a las criaturas que habitan en él. Como resultado, el amor a Dios se convierte en la base de la ética, la mayordomía y la misión del cristiano. La gracia no nos permitirá conformarnos con un egoísmo cómodo que ignora a un mundo herido. Un corazón cautivado por la gracia de Cristo late con Su mismo interés por el mundo y por todos los que habitan en él.

Amor por el "yo" que Dios ama. El amor por Dios también produce un amor apropiado por uno mismo. Puede sonar extraño y egoísta decir que el evangelio nos anima a amarnos a nosotros mismos, pero hay un amor propio que es correcto. Usualmente reconocemos la necesidad del amor propio cuando encontramos a alguien que se odia a sí mismo. ¿Cómo debemos tratar con personas que odian tanto su cuerpo, su trasfondo, su apariencia, sus fracasos o su dolor que se hacen daño a sí mismas?

En una generación en la que tristemente es tan común ser anoréxico o bulímico, mutilarse el cuerpo, consumir drogas y suicidarse, es necesario tratar el odio por uno mismo. ¿Cómo? La respuesta cristiana siempre es alguna versión de "Jesús te ama", y eso no está mal. Les decimos a las personas heridas que Jesús las ama para que aprendan a valorarse a sí mismas. Los creyentes son templo del Espíritu Santo, hijos del Padre de Cristo, creaciones de Su mano, imágenes de su Señor y receptores del amor sacrificial de Jesús. Todas estas cosas son señales innegables de Su amor. Y si Jesús los ama, está bien que se amen a sí mismos y que reconozcan que las voces que los llaman a odiarse a sí mismos vienen de Satanás y no de su Salvador.

La gracia de Cristo, incluso hacia los que han sido dañados por sus propias manos y elecciones, es la evidencia de Su amor que motiva a Sus hijos a amarse a sí mismos de una manera que sea saludable en términos espirituales. Desear las bendiciones de andar con Jesús y evitar las consecuencias del pecado solo tiene sentido cuando nos amamos a nosotros mismos lo suficiente como para bendecir nuestra vida con Sus beneficios. Las bendiciones y advertencias de la Escritura no tendrían sentido (y no proveerían ninguna motivación) para las personas que no se cuidan a sí mismas. Amar lo que Dios ama y a quienes Él ama —incluyéndonos a nosotros mismos— es una motivación apropiada que surge de apreciar la gracia de Cristo hacia nosotros.

El amor supremo

¿Cómo evitamos que el amor propio se vuelva egoísmo? Cuando amamos a Cristo por encima de todo, todos los demás amores encuentran su orden y proporción correcta. El amor propio no es incorrecto, a menos que sea nuestro amor más grande. Jesús explicó la prioridad de nuestras motivaciones cuando dijo: "Ama al Señor tu Dios con todo tu corazón, con todo tu ser y con toda tu mente. Este es el primero y el más importante de los mandamientos. El segundo se parece a este: 'Ama a tu prójimo como a ti mismo" (Mt 22:37-39). En este mandato, Jesús reconoce que el amor por Dios, el amor por otros y el amor propio son amores apropiados, pero también les da un orden correcto.

El amor de Dios por nosotros, que brilla a través de Su gracia, crea un amor supremo por Él que nos permite amar las cosas que Él ama y a quienes Él ama, para que así apliquemos Su Palabra a nuestras vidas. ¿Es el amor la única motivación apropiada para un cristiano? No, pero las palabras de Cristo sobre el mandamiento más importante dejan claro que el amor a Dios es la motivación fundamental de todo lo que hacemos.

En las páginas siguientes consideraremos otras motivaciones. Por ahora, basta con reconocer que podemos cometer tres errores en nuestras aplicaciones de la Palabra de Dios, todos relacionados con la motivación. El primero es olvidar que se necesita una motivación *apropiada* para la verdadera obediencia. El segundo es olvidar que hay *pluralidad* en las motivaciones que vemos en la Escritura: el amor por Dios, el amor por otros y el amor propio. El tercero es olvidar la *prioridad* en ese orden de motivaciones. Para evitar las motivaciones o prioridades equivocadas, debemos excavar cuidadosamente la gracia de cada texto, la cual produce el amor que motiva la obediencia que Dios demanda.

Cómo lo hacemos

Saber *qué* hacer, *dónde* hacerlo y *por qué* hacerlo son elementos necesarios de la obediencia bíblica. Pero no son todo lo que se necesita. Como se explicó anteriormente (ver capítulos 7 y 8), aun teniendo instrucciones específicas y buenas motivaciones, puede que todavía nos cueste obedecer. Las pasiones, las distracciones, las adicciones y la rebeldía pueden seguir arruinando el progreso del evangelio en nuestras vidas.

El cambio necesario del corazón

Todos los que enseñan la Escritura escuchan esta pregunta: "Yo sé lo que Dios espera y quiero honrarlo, pero ¿cómo puedo hacerlo?". En otras palabras, saber lo que Dios demanda —y aun tener el deseo de hacerlo— no garantiza la obediencia de los oyentes (ni la nuestra). Es necesario tener el conocimiento y la motivación, pero estos serán insuficientes hasta que tengamos el poder para obedecer. ¿Cómo podemos aplicar lo que sabemos y queremos hacer?

Aunque las recomendaciones prácticas y el ánimo a esforzarnos más son útiles, no son suficientes. Además de saber lo que Dios demanda y recurrir al poder del Espíritu Santo que habita en nosotros por medio de las disciplinas de la oración, el estudio bíblico, la adoración y la rendición de cuentas, al final necesitamos un cambio de corazón. La razón es que finalmente actuaremos conforme a lo que más amamos.

La provisión del cambio de corazón

Aquí es donde la gracia tiene un papel tan vital. Ya que el Espíritu Santo mora en los creyentes, no podemos decir que no tenemos el poder para resistir nuestros impulsos pecaminosos. La Biblia enseña claramente que los cristianos no somos esclavos del pecado, aunque nos sometemos a él cuando somos atraídos por nuestras propias pasiones y deseos. Esto es obvio si consideramos que, si no nos atrajera, el pecado no sería llamativo ni tendría poder sobre nuestras vidas. Pecamos cuando cedemos a la tentación.

Así que si el poder del pecado es nuestro amor por él, ¿cómo vencemos el amor por el pecado? Aunque cubrí este tema en capítulos anteriores (ver especialmente capítulos del 7 al 9), es necesario repetirlo al considerar por qué la gracia es un aspecto orgánico y necesario de la aplicación bíblica.

Debemos desplazar el amor al pecado con un amor superior. Nuestros amores descarriados —que le dan poder al pecado en nuestro corazón— son reemplazados por el amor a Cristo que aumenta cuando nos exponemos a Su gracia y a la explicación de la misma de una forma completa, regular, sensible y poderosa.

La gracia que el Espíritu Santo muestra como fundamental en cada pasaje de la Escritura no está ahí para permitirnos eludir sus obligaciones, sino para reforzarlas. Si ignoramos la gracia, excluimos lo que más nos capacita para la obediencia: un amor supremo por Cristo. Mientras más expongamos la gracia, más acercaremos a los creyentes a su Salvador, más avivaremos su deseo de servirle y más los capacitaremos para obedecerle. Harán lo que Dios ama cuando lo amen por encima de todo lo demás.

18

¿Es el amor la única motivación bíblica?

"¿Eso es todo?". Permíteme explicarte lo que quieren decirme cada vez que me hacen esta pregunta: "Hablas una y otra vez sobre motivar y capacitar a los cristianos con el poder del amor producido por la gracia. ¿Vas a hablar sobre otra motivación aparte de estas cosas sentimentales, melosas y acarameladas? Después de todo, ¿realmente crees que el amor tiene hombros suficientemente anchos y una columna vertebral suficientemente fuerte como para llevar la carga de la obediencia cristiana en tiempos de crisis, persecución, pruebas y tentación aplastante? ¿Qué hay de las otras motivaciones que aparecen en la Biblia (las recompensas por la obediencia, las amenazas de juicio y, no olvides, 'el temor del Señor' que es el 'principio de la sabiduría')? ¿Es el amor lo único que puedes ofrecer para las dificultades de la obediencia en un mundo real?".

Recuerda la pluralidad y la prioridad

Mi respuesta a la pregunta de cómo aplicar la gracia (capítulos 16 y 17) fue larga, así que estos comentarios relacionados serán un breve recordatorio. Los cristianos suelen cometer el error de no reconocer una jerarquía de motivaciones en la Biblia: hay tanto una *pluralidad* como una *prioridad* de motivaciones.

Es evidente que hay muchas motivaciones en la Biblia. Por ejemplo, junto con el amor, nuestro Señor nos motiva con las bendiciones que resultan de la obediencia, con la disciplina que resulta de la desobediencia, con el juicio y el infierno para los que no se arrepienten y (no lo he olvidado) con "el temor del Señor" que es "el principio de la sabiduría". Y estas son solo algunas.

Entonces ¿por qué nos enfocamos tanto en el amor? Porque los mandatos de la Biblia nos hablan de la pluralidad *y* de la prioridad de las motivaciones. El amor a Dios es el mandato más importante y es la motivación principal que Él nos da. Todas las demás motivaciones encuentran su orden y proporción apropiada después de esta instrucción principal (Mt 22:37-40). Como se explicó en los capítulos 16 y 17, el amor a Dios es la base del amor apropiado hacia las cosas que Él ama y las personas a quienes ama: Su creación y Sus criaturas. Los amamos porque Aquel a quien amamos los ama. Eso suena terriblemente redundante, pero espero que logre explicar la idea: el amor por Dios produce una estima apropiada hacia lo que Él considera importante y a quienes considera importantes.

Recompensas y advertencias

¡Recuerda además que estamos entre los que Él considera valiosos! Nos amamos a nosotros mismos (después de amar a Dios y a los demás) porque Él nos ama. Ese amor propio es necesario para que funcionen las bendiciones y las amenazas de la Escritura. Si no te amas a ti mismo o no amas a Dios y a los demás más que a ti mismo, entonces las recompensas y advertencias de la Escritura serán o ineficaces o contraproducentes.

Cuando son contraproducentes

Las promesas de bendiciones o las amenazas de que serán retenidas son motivadores ineficaces para quienes no les interesa beneficiarse ni protegerse a sí mismos. Las recompensas y advertencias no funcionan para quienes no tienen amor propio.

Sin embargo, también debemos reconocer que las recompensas y advertencias son contraproducentes espiritualmente si nos amamos a nosotros mismos más que a Dios y a los demás. En esos casos, las recompensas alimentarían el egoísmo y se ignorarían las consecuencias por la misma razón. Si mi interés principal soy yo mismo, será más importante ganar recompensas y comodidades por encima de la vida de servicio y sacrificio a la cual Dios llama a todos los creyentes. En contraste, los mártires se entregaron a las llamas durante siglos, no porque no amaran sus vidas (le ofrecieron a Dios lo que Él y ellos mismos valoraban), sino porque su pasión era honrar a su Salvador por encima de todo. El amor coronaba sus motivaciones e impulsó su servicio y sacrificio.

Cuando son útiles

Después de haber puesto el amor propio en el orden correcto, detrás del amor por otros y el amor por Dios, ¿hay otras motivaciones para la obediencia cristiana? Por supuesto, la respuesta bíblica es que sí las hay. Dios nos manda a creer "que [Él] recompensa a quienes lo buscan" (Heb 11:6) y "disciplina a los que ama" (Heb 12:6).

El propósito de las respuestas positivas y negativas de Dios frente a nuestros comportamientos es motivar nuestra obediencia. Pero estas motivaciones solo producen piedad dentro del contexto de una vida que le da prioridad al amor a Dios por encima del amor propio.

Por ejemplo, necesitamos recordar que las recompensas de Dios no siempre reflejarán las medidas y los valores del mundo. "Porque el Reino de Dios no es cuestión de comidas o bebidas, sino de justicia, paz y alegría en el Espíritu Santo" (Ro 14:17). Sus recompensas espirituales solo tendrán sentido e importancia cuando nuestro mayor deleite sea cumplir los propósitos del Señor que amamos por encima de todo.

Nuestra mayor recompensa: Sus propósitos

Si nos amamos a nosotros mismos, desearemos y buscaremos las bendiciones que traen gozo y nos convierten en instrumentos para mostrar la gloria de Dios. Pero debemos recordar que estas bendiciones incluyen los sufrimientos que nos permiten conocer y recibir las recompensas espirituales que van más allá de la comprensión de aquellos que solo se motivan con las ganancias materiales o la comodidad personal (Ro 5:3-5; Col 1:24).

Cuando amamos a Dios por encima de todo, nuestra mayor satisfacción es ver que Sus propósitos se cumplan más plenamente en nosotros. Nos gloriamos en los sufrimientos que promueven Su gloria. Nos deleitamos en lo que nos muestra Su cuidado. Recibimos sin quejas la disciplina que nos lleva a ser más como Él y nos aleja del peligro espiritual. Damos gracias por el pan diario y las providencias especiales que hacen que nuestra vida sea productiva, agradable y pacífica. Nos sacrificamos voluntariamente para glorificar Su nombre. Todo esto es posible porque nos amamos a nosotros mismos al tiempo que amamos a nuestro Dios más que a nuestra propia vida.

Cuando amamos a Dios por encima de todo, el cumplimiento de Sus propósitos es nuestra mayor recompensa. Esta realidad debería llevarnos a atesorar un último aspecto de las categorías de la motivación bíblica. Ya vimos la *pluralidad* y la *prioridad* de las motivaciones bíblicas. Ahora veremos lo *permeables* que son estas categorías.

Nuestro mayor placer: Su prioridad

Debido a que amamos a Dios, lo que más nos agrada es agradarlo por encima de todo. El amor por Dios y el amor propio no son motivaciones aisladas. Cuando agradamos a Aquel a quien más amamos, encontramos nuestro mayor placer. Estaremos satisfechos más profundamente al satisfacer a Aquel que amamos más profundamente. Finalmente, la Biblia nos motiva a servir a Dios, no con una abnegación forzada y resentida, sino con un gozo y una satisfacción que nos llenan.

Cuando amar a Dios es la mayor prioridad de nuestro corazón, nuestro mayor gozo en la vida es honrarlo. Cuando Su gloria es nuestra meta más alta, honrar Sus mandatos y Su llamado para nosotros no es una carga sino un deleite. El servicio abnegado es algo que a la vez nos da satisfacción. La razón por la que la Biblia habla de que nuestra prioridad debe ser amar a Dios es porque nuestro Salvador desea que haya plenitud en nuestro corazón y que Su nombre sea glorificado. Al final, amar a nuestro Dios por encima de todo es la forma en que nos amamos mejor a nosotros mismos.

19

¿Qué hay del temor?

La Biblia deja totalmente claro que "el temor del Señor" debería motivar al pueblo de Dios a honrarlo (ver Dt 6:24; Sal 111:10; Pro 1:7; Fil 2:12). Ninguna lista de motivaciones bíblicas está completa sin esta.

Sin embargo, debemos tener cuidado de no definir el temor bíblico de una forma que contradiga lo que Dios enseña sobre la prioridad o la pluralidad de las motivaciones bíblicas (ver capítulo 18). Entonces ¿qué es el temor "bíblico"?

El temor bíblico

En el Antiguo Testamento se hacen muchas referencias al temor de Dios, pero la narrativa del Nuevo Testamento del nacimiento de Jesús nos dice que nuestro Señor vino para darnos el poder de servirle siendo "libres del temor" (Lc 1:74). Cuando nació el Señor, los ángeles dijeron a los pastores: "No tengan miedo" (Lc 2:10). Y el apóstol Juan le dice a los que han recibido el mandato de amar a Dios por encima de todas las cosas que "el amor perfecto echa fuera el temor" (1Jn 4:18).

Si no somos cuidadosos, podemos caer en el antiguo error de identificar al Dios del Antiguo Testamento como el "malo", al que tenemos que temer, y al Dios del Nuevo Testamento como el "bueno", el que quiere ser amado. Esa conclusión ignora muchos versículos en ambos Testamentos que identifican a nuestro Señor como alguien a quien debemos amar *y* temer. Por lo tanto, tenemos que determinar cómo estos mandatos coexisten en la Escritura sin que haya una contradicción.

¿Se excluye el temblor?

Una de las formas tradicionales de lidiar con esta tensión es definiendo el "temor" con términos más compatibles. Reconocemos que en nuestro idioma no hay una palabra que transmita la definición exacta del término en hebreo, así que la traducimos como "reverencia" o "asombro". Confesamos que estos términos no son completamente equivalentes, pero nos parecen útiles.

Una razón por la que estos términos sustitutos no son suficientemente adecuados es que no reflejan lo que pasaría si Dios se apareciera frente a nosotros en toda Su gloria. Reaccionaríamos como los israelitas en el Monte Sinaí o como los pastores cuando los ángeles anunciaron el nacimiento de Cristo. Temblaríamos de miedo. El gran poder de Dios y Su presencia abrumadora nos llevarían a un estado de alerta y nos sacudirían. Si sabemos lo que es temblar en presencia de un gran líder, un poder militar o una maravilla natural, entonces comprendemos un poco por qué la aparición del Todopoderoso en Su gloria radiante y con Sus truenos causaría ese tipo de temor.

¿Es correcto el temor a ser lastimados?

Pero ¿cómo es el temor que Dios realmente desea? ¿Por qué permite Dios que Moisés se acerque a Él en nombre del pueblo aterrorizado? ¿Por qué vemos a los ángeles diciendo a los pastores que no teman? Ciertamente, Dios quiere que lo reverencien, y ellos debían mantener su asombro ante Él. Pero el temor que honra a Dios no es el terror a que nos haga daño. Se trata más de un respeto por Su santidad, poder y amor.

Nunca le temas a ser lastimado por Él. Una historia antigua de un predicador trata de un niño que tenía fiebre y fue llevado al médico. El médico se dio cuenta rápidamente de que necesitaba ponerle una inyección. Para calmar el temor del niño, su madre le dijo: "Jaimito, la inyección no te va a doler". Bueno, el doctor sabía que sí iba a doler. También sabía que tal vez era necesario que el niño confiara en él cuando llegaran tratamientos futuros. Entonces le habló honestamente: "Jaimito, puede que te duela, pero no te va a hacer daño".

Dios nos habla con esa misma honestidad en Su Palabra. En la Escritura no se puede negar que Dios tiene el poder y la disposición de traer dolor por medio de la disciplina que encamina nuestras vidas hacia la santidad. Pero lo que también deberíamos reconocer es que Dios nunca va a hacerle daño a Sus hijos. Los que están unidos a Cristo son tan preciosos para el Padre como Su propio Hijo. Las acciones de Dios hacia nosotros siempre son hechas con amor, y siempre tienen el propósito de restaurarnos y de hacernos madurar. Él nunca va a hacerle daño a los Suyos, sino que solo proveerá para nuestro bien.

Aunque Dios nunca tiene el propósito de hacernos daño, no podemos negar que la disciplina puede doler... y mucho. La Biblia dice: "Ciertamente, ninguna disciplina, en el momento de recibirla, parece agradable, sino más bien penosa". Pero la razón de la disciplina es clara: "Después produce una cosecha de justicia y paz para quienes han sido entrenados por ella" (Heb 12:11).

La disciplina de Dios nunca es destructiva ni punitiva. El propósito de la disciplina de un Padre celestial es apartarnos de los peligros del pecado y llevarnos hacia Sus brazos. Es por esto que la Biblia dice: "Porque el Señor disciplina a los que ama, y azota a todo el que recibe como hijo" (Heb 12:6). Si no nos amara, no nos advertiría sobre las consecuencias ni nos rescataría de las garras del pecado.

Nunca le temas a ser castigado por Él. Algunos se podrían sorprender al leer que la disciplina de Dios nunca es punitiva. Pero necesitamos decirlo muy claramente: los creyentes nunca deben temer el castigo de la mano de su Padre. Esto *no* significa que a Dios no le importa nuestro pecado o que no va a actuar para alejarnos de él. Dios nunca castiga a Sus hijos, porque eso implicaría la imposición de un castigo en sí. Necesitamos recordar que el castigo por todos nuestros pecados pasados, presentes y futuros fue puesto sobre Jesucristo (Col 2:13-14; 1P 2:24; 3:18).

Ahora no hay condenación ni castigo para los que son hijos de Dios (Ro 8:1), pero *sí* hay disciplina para ellos. La disciplina tiene un propósito completamente diferente al del castigo. El castigo tiene la intención de hacerle daño al culpable al imponerle una penalidad merecida por haber hecho lo malo. La disciplina tiene el propósito de alejar a la persona del peligro, de restaurarla y de hacer que madure. Tanto el castigo como la disciplina duelen, pero solo el castigo hace daño. La disciplina ayuda a los hijos de Dios a encontrar paz y frutos de justicia.

El amor perfecto

Si Dios nos fuera a castigar, sería apropiado que estuviéramos aterrorizados. Pero el apóstol Juan escribe que el amor perfecto por Dios echa fuera ese tipo de temor, precisamente porque: "El que teme espera el castigo, así que no ha sido perfeccionado en el amor" (1Jn 4:18). Si nuestra obediencia es solo un intento por aplacar o evitar al "ogro del cielo" que está esperando que nos salgamos de la línea para poder castigarnos, entonces no hemos entendido el temor bíblico ni hemos amado a Dios como Él lo desea.

Evitando el terror

El temor de Dios que nos ayuda a madurar y nos une a Su corazón no es el terror que nos lleva a acobardarnos y escondernos. De hecho, si vivimos con terror hacia Dios, será imposible para nosotros cumplir Su mandamiento más importante (amarlo con todo nuestro corazón, con toda nuestra alma, con todas nuestras fuerzas y con toda nuestra mente). El corazón humano simplemente no puede responder de forma sana al mandato: "Ámame o te haré daño". Podríamos servir y obedecer de mala gana al que nos da ese mandato, pero no podríamos amarlo como requiere la Escritura. El amor es el mandato más importante de Dios porque este provee la disposición y la habilidad para hacer todo lo que Dios requiere. El temor bíblico no pone en riesgo este tipo de amor.

Manifestado en Cristo

Tal vez la mejor forma de entender el temor bíblico es recordando a Aquel que lo manifestó de la mejor forma. Las profecías mesiánicas del libro de Isaías en el Antiguo Testamento hablan tanto de la venida de Cristo (Is 11:1) como de Su carácter (11:2-4). Al describir Su carácter, Isaías dice que Jesús vendrá en un "Espíritu de conocimiento y de temor del Señor" y que "Él se deleitará en el temor del Señor". Aquel que conoce mejor a Dios se deleita en temerle. Si temerle solo significa encogerse de terror, estas palabras no tendrían sentido. Nadie se deleitaría en eso.

Deberíamos interpretar estas palabras teniendo en cuenta lo que sabemos sobre la relación de Jesús con Su Padre celestial. Dentro de la familia celestial solo puede existir un amor perfecto, el cual se basa en un conocimiento perfecto de Dios. Este conocimiento no se trata simplemente de ser conscientes de Su poder, santidad e ira hacia el mal, sino que también incluye conocer Su misericordia, ternura y amor. Deleitarse en el "temor" apropiado que producen todos esos atributos es apreciar de forma correcta todo lo que Dios es.

Una consideración apropiada

El temor bíblico no es simplemente encogerse de miedo ante el poder y la majestad de Dios o inclinarse ante Su amor y misericordia. Es una consideración apropiada de todo lo que conocemos sobre el cuidado y el carácter de Dios. Cuando meditamos en todos Sus atributos y acciones, entonces adorarlo es nuestro mayor deleite. Este temor no es la antítesis del amor bíblico, sino que es su fuente.

20

¿Qué hay del infierno?

Si no es posible expresar un amor sano a alguien que nos amenaza diciéndonos: "Ámame o te haré daño", entonces ¿por qué existe el infierno? ¿No es la amenaza del infierno una manera en la que Dios nos llama a volvernos a Él para que nos salve? Estas son preguntas muy buenas, aunque difíciles, que debemos responder.

Por qué el miedo no logrará que las personas vayan al cielo

Jesús enseñó que al que se le perdona mucho, ama mucho; y al que se le perdona poco, ama poco (Lc 7:47). El amor de Dios —Su mandato más importante y fundamental— demanda que entendamos que Él nos ha perdonado mucho. Para amarlo tenemos que atesorar Su gracia, no simplemente evitar Su ira. Como ya hemos visto, amenazar con hacerle daño a alguien si no te ama no puede producir un amor bíblico. Esas amenazas podrían producir una parodia de la obediencia que Dios demanda, pero no pueden producir el amor que Él desea.

Esto significa que no podemos hacer que las personas vayan al cielo a través del miedo. Nuestra unión con Cristo no es simplemente una decisión egoísta de caminar por calles de oro en vez de ser arrojados a un lago de fuego. Hay un amor por el cielo y un temor al infierno que vienen directamente de Satanás si se tratan solamente de intereses egoístas. Debemos amar a Cristo para poder experimentar el gozo que Él quiere que tengamos en la relación que Él aseguró para nosotros. El amor que agrada a Dios y que nos satisface no es y no puede ser solo un resultado de tratar de mantener alejado a un ogro en el cielo.

La justicia y misericordia necesarias

Para que el infierno nos mueva a la obediencia bíblica y al amor bíblico, debe representar más que el ceño fruncido de un Dios que está enojado. Para poder conducirnos a una santidad genuina, el infierno debe ser percibido primero como el destino justo de aquellos que han incumplido los estándares rectos de Dios. Debemos entender que esos estándares están arraigados en la santidad de Dios, y que transgredirlos merece un castigo eterno. Comprender que la *misericordia* de Dios nos salva del castigo justo del infierno, más que del infierno mismo, produce en nosotros un amor hacia Él. Saber que se nos ha perdonado mucho hace que amemos mucho, lo cual es el requisito básico del cielo (Mt 22:37-38).

Rescatados de esta vida

Pero el problema es que este entendimiento maduro de la rectitud, la justicia y la misericordia de Dios no es donde la mayoría de personas comienzan su caminar con Cristo. La mayoría llega a Cristo porque han alcanzado un punto de desesperanza en sus vidas, no porque estén evitando ir el infierno después de la muerte. Si la única motivación es escapar del juicio de Dios, lo más probable es que no exista un amor como Él lo desea.

El amor inicial que tenemos por Cristo suele surgir porque sabemos que Él nos ha rescatado del "infierno" que vivíamos antes de conocerle: soledad, culpa, vergüenza, depresión, esclavitud a las adicciones, trauma relacional, etc. Es por eso que Jesús tuvo en cuenta la realidad de la experiencia humana y de Su propia tarea espiritual cuando dijo: "Vengan a Mí todos ustedes que están cansados y agobiados, y Yo les daré descanso" (Mt 11:28). Él entendía que los dolores de esta vida podían ser tan persuasivos como las amenazas de la siguiente.

Entendiendo el castigo eterno

No puedo negar que hay algunos que buscan la misericordia de Cristo porque creen que han cometido pecados dignos de un infierno eterno. Esto es innegable en un mundo de asesinatos masivos, abuso infantil, genocidio, 'limpieza étnica', violación, yihad y tortura sistemática. Deberíamos alabar a Dios cuando vemos que Él abre los ojos de las personas, permitiéndoles ver esos crímenes malvados como lo que son: pecados que nos hacen merecedores del infierno.

Un malentendido común

Pero la mayoría de personas no entienden esto intelectual ni espiritualmente cuando acuden por primera vez al Salvador. Al comienzo de su experiencia cristiana, la mayoría no entienden que su pecado hace que merezcan una eternidad en el infierno. Incluso si repiten ideas que han escuchado en predicaciones, o sienten una profunda culpa, pocos podrían identificar por qué merecen un infierno eterno de sufrimiento por su pecado.

Con frecuencia, los teólogos defienden la doctrina del infierno con la idea de que las personas merecen los tormentos infinitos y eternos del infierno porque el pecado va en contra de un Dios infinitamente santo y eterno. Eso puede tener sentido para un teólogo, pero a los demás no les parecerá lógico ni justo.

Aun si Hitler, Genghis Kahn o Idi Amin gritaran en agonía durante diez mil años en un lago de fuego, la mayoría de personas (especialmente los creyentes, que son creados a imagen de Dios y evalúan lo que es justo según los estándares y el corazón que Él concede) estarían listos para terminar el dolor de estos monstruos. Y argumentar que un infierno de tormento físico igual de interminable le espera al judío, al hindú o a la abuela cristiana nominal cuyo crimen más grande aparenta ser que es dura con sus palabras, parece no cuadrar con ningún estándar de justicia que asociemos con la naturaleza de Cristo.

La intención de Cristo

Entonces ¿cómo explicamos la razón por la que Jesús habló del infierno más que cualquier otra persona en la Biblia? Encontramos una respuesta al menos parcial al entender que Jesús reservó Sus palabras más duras para aquellos que confiaban en su propia superioridad moral para ganarse el cielo. Necesitaban saber que el futuro de todos los que no buscan a Dios por medio de Su Hijo es que estarán separados total, consciente y eternamente de las bendiciones de Dios (ese es un buen resumen de la enseñanza bíblica sobre el infierno, teniendo en cuenta todas sus explicaciones y metáforas, tales como el lago de fuego eterno, los gusanos, los tormentos, la oscuridad, el crujir de dientes y los azotes).

Las mayores expresiones de la misericordia y la gracia de Jesús se derramaron sobre los que creyeron que no tenían esperanza de llegar al cielo debido a su trasfondo, sus fracasos y sus pecados. Estaban desesperados por que Dios les cuidara en esta vida y les ofreciera seguridad espiritual para la próxima vida, lo que hizo que recibieran la gracia de Cristo y que esta fuera poderosa en sus vidas. El amor de Dios por los que no son fáciles de amar, los rechazados y los despreciables es lo que atrae corazones hacia Él. Por lo general, hablaba del infierno solo con la intención de hacer que los orgullosos entendieran que estaban perdidos por estar lejos de Él. Los que se creían superiores moralmente, igual que los pecadores evidentes, necesitaban anhelar Su gracia para que el cielo se convirtiera en su destino eterno.

El infierno de la tierra y la eternidad

Si asustar a las personas con las amenazas del infierno no las conduce a amar al Dios del cielo como Él lo desea, ¿por qué se menciona tanto el infierno en la Biblia? Seguramente, parte de la respuesta es que ayuda a las personas a alejarse del infierno *en la tierra,* que es el resultado de confiar en su propia sabiduría y en sus caminos para encontrar paz y satisfacción. El infierno que crearon aquí es el infierno de su esclavitud en la eternidad.

Recibir lo que quieres

Una razón por la que el infierno es eterno es que nadie allí le dice a Dios: "¡Déjame salir! ¡Ahora sí quiero honrarte y servirte!". El infierno es la separación total, consciente y *eterna* de las bendiciones de Dios porque allí las almas eternas reciben exactamente lo que quieren: la independencia total y continua de la influencia y el cuidado de Dios.

En el caso de los creyentes (los destinatarios principales de la Biblia, para quienes se diseñaron las metáforas contenidas en ella), esa independencia de Su Salvador sería una agonía. El hecho de que Cristo nos advirtiera sobre el infierno y se entregara para salvarnos de sus consecuencias justas es una gracia que nos lleva a anhelar eternamente Su señorío. Aquellos que prefieren gobernarse a sí mismos y ser egoístas recibirán lo que quieren: la ausencia eterna de la bondad de Dios en el infierno. C. S. Lewis resume hábilmente esta dinámica espiritual diciendo: "Las puertas del infierno están cerradas con llave por dentro",[8] pues los pecadores siempre aman las tinieblas más que la luz (Jn 3:19).

Aunque los pecadores sufren en el infierno, prefieren su agonía antes que honrar la gloria de Cristo. Tal vez esto se debe a que, como escribe John Piper: "Los que rechazan a Dios serían miserables tanto en el cielo como en el infierno".[9]

Dando la gracia de la advertencia

Cristo habla tanto del infierno porque Su gracia requiere que Él le advierta a todos sobre las consecuencias de sus decisiones. Como Dios es santo y justo, Él vindicará Su honor, purificará Su Reino y castigará la maldad. La gracia le demanda hacer todo esto. Su gracia también lo lleva a ofrecer paz a los que se sorprenden con las realidades del infierno. La traducción literal de un antiguo himno dice:

> Alaba la gracia que te advirtió con amenazas,
> que te levantó de tu fatal comodidad.
> Alaba la gracia cuya promesa te acogió,
> alaba la gracia que te susurra paz.[10]

Para aquellos que se alejan de la gracia de Cristo, Dios mantiene Su santidad y ejerce Su justicia permitiendo que los incrédulos se alimenten de los frutos de sus propias decisiones. Se acostarán en la cama que ellos mismos prepararon, experimentando el infierno de estar lejos del Reino de Dios, que fue lo que ellos mismos escogieron. Pero para aquellos que acuden a la gracia de Cristo, Dios se encarga de suplir todo lo que demanda Su justicia y santidad por medio de la vida, el sacrificio y la victoria de Su Hijo, para que aquellos que creen puedan descansar eternamente en Su amor.

El mensaje del infierno *no* es contrario a la gracia de Dios. Podemos caer en el error de simplemente asustar a las personas para que quieran ir al cielo, sin explicarles la justicia y la misericordia que hacen que el amor por Él triunfe sobre el terror. Si nunca les advertimos sobre las consecuencias eternas, no les estamos mostrando la gracia de Cristo. Pero si no hablamos de la gracia que rescata a las personas del infierno que ellos mismos crearon en la tierra, así como del infierno eterno que Dios diseñó para los que le rechacen, hacemos que sea difícil que ellos lo amen como lo requiere Su Palabra y como lo desea Su corazón.

21

¿El pecado cambia algo?

Se pueden crear tensiones evidentes al incentivar la obediencia por medio de la dinámica del corazón que produce la gracia y por medio de advertencias sobre las consecuencias del pecado. La dinámica del corazón demanda que las personas estén seguras del amor, la misericordia y el perdón de Dios. Las advertencias requieren que las personas sean conscientes de las consecuencias, la disciplina y el juicio. ¿Cómo encajamos ambas sin poner en riesgo el afecto de Dios? ¿Realmente no hay nada que pueda cambiar nuestra relación con Dios, ni siquiera nuestro pecado?

Las relaciones condicionales

La naturaleza condicional de muchas relaciones humanas nos acostumbra a pensar que el amor de Dios aumentará o disminuirá con el nivel de nuestra obediencia. Si nuestros padres, entrenadores o empleadores nos han aceptado sobre la base de nuestro rendimiento, entonces podríamos tender a pensar que la vida es como un juego de baloncesto: anota suficientes puntos y ganarás aceptación y aplausos; echa a perder el partido y serás relegado al final de la banca.

Hablar claramente sobre las consecuencias del pecado podría reforzar esta idea equivocada. El pecado en la vida de un creyente podría resultar en una disciplina espiritual y en consecuencias dolorosas. El pecado en la vida de un incrédulo ciertamente tendrá consecuencias terrenales y eternas. Pero estas verdades no indican que el afecto de Dios cambia debido al pecado de Sus hijos.

Paralelos parentales

Cuando mis hijos desobedecen, yo puedo enojarme, imponer disciplina y permitir consecuencias para enseñarles patrones de vida que sé que serán lo mejor para ellos. Soy un padre imperfecto, así que no siempre lo hago desinteresadamente y teniendo como prioridad el bienestar de mis hijos. Sin embargo, sin importar lo mucho que desobedezcan, siguen siendo mis hijos. Aunque mi actitud y acciones hacia ellos puedan cambiar, esa relación no cambia.

Como padre perfecto, nuestro Padre celestial lleva a cabo todas estas dinámicas de forma perfecta y con gracia. Puede que también se enoje, imponga disciplina y permita consecuencias con el fin de enseñarnos patrones de vida que serán de bendición. Su gracia hace que nuestro bien sea Su prioridad en todo acto divino.

Él no se equivoca. Sin sacrificar una pizca de Su gloria, equilibra perfectamente cada medida de misericordia y consecuencias. Aunque Sus acciones y aprobación pueden variar, nuestra relación con Él no cambia. La gracia que quita nuestra culpa también asegura Su amor por nosotros, el cual nunca varía. Seguimos siendo Sus hijos y estamos seguros en el amor que nos motiva y capacita para renovar nuestra obediencia.

Tabla 1. Nuestra relación con Dios[1]

LO QUE PUEDE CAMBIAR	*LO QUE NO PUEDE CAMBIAR*
Nuestra comunión[2]	Nuestra posición en Su familia[3]
Cómo experimentamos Su bendición[4]	Su deseo de que tengamos bienestar
Nuestra certeza de Su amor[5]	Su afecto por nosotros
Su deleite en nuestras acciones[6]	Su amor por nosotros
Su disciplina	Nuestro destino[7]
Nuestros sentimientos de culpa	Nuestra libertad de la condenación[8]

---

1 Ver Bryan Chapell, *Holiness by Grace: Delighting in the Joy That Is Our Strength* [*Santidad por gracia: Deleitándonos en el gozo que es nuestra fortaleza*] (Wheaton, IL: Crossway, 2001), 196.

2 Con "comunión" me refiero a la sensación cotidiana de disfrute que tenemos al pasar tiempo con Dios y saber que Él aprueba nuestras acciones. Para consultar una discusión más técnica del término y de su naturaleza condicional, ver John Murray, *The Covenant of Grace* [*El pacto de la gracia*] (1953; reimp., Phillipsburg, NJ: Presbyterian and Reformed, 1988), 19; también, John Murray, *Principles of Conduct* [*Principios de conducta*] (Grand Rapids, MI: Eerdmans, 1957), 198.

3 El afecto incondicional y eterno de Dios por nosotros no implica que Él aprueba los malos actos ni que dejará de tratar con ellos por nuestro bien (Sal 118:18; Ef 4:30).

4 Ro 8:15; 1Jn 3:1.

5 Dios nunca deja de bendecir a Su pueblo en el sentido de hacer que todas las cosas obren para bien (Ro 8:28). Incluso Su disciplina tiene el propósito de alejarlos del peligro y acercarlos al Salvador (Heb 12:11). Sin embargo, es muy diferente experimentar Su amor que disciplina a experimentar Su amor que aprueba.

6 Ver la Confesión de Fe de Westminster, 18.4: "La seguridad de la salvación de los verdaderos creyentes puede ser sacudida, disminuida e interrumpida de diferentes maneras debido a la negligencia en preservarla; por caer en algún pecado específico que hiere la conciencia y contrista al Espíritu; por alguna tentación repentina y vehemente; porque Dios les retira la luz de su rostro, permitiendo inclusive que los que le temen caminen en tinieblas y no tengan luz. Sin embargo, los verdaderos creyentes nunca son totalmente destituidos de la simiente de Dios y de la vida de fe, de aquel amor de Cristo y de los hermanos, de aquella sinceridad de corazón y conciencia del deber. Por medio de la operación del Espíritu, esta seguridad puede ser revivida a su debido tiempo; mientras tanto, el mismo Espíritu sostiene a los verdaderos creyentes para que no caigan en una desesperación total".

7 Jn 10:28; Ro 8:28-30, 35-39. Ver también Bryan Chapell, *In the Grip of Grace: When You Can't Hang On* [*En manos de la gracia: Cuando no puedes aferrarte a ella*] (Grand Rapids, MI: Baker, 1992), 91-116.

8 Ro 8:1. Los sentimientos de culpa son la experiencia subjetiva de la culpa que tenemos al traicionar el amor de Cristo y entristecer al Espíritu Santo. Dios los usa para alejarnos del pecado. Sin embargo, el juicio objetivo de nuestro pecado fue puesto sobre la cruz de Cristo una vez y para siempre, para que nunca más carguemos con la culpa que nos separa del corazón de Dios (Ro 8:35-39; Gá 2:20).

Lo que cambia y lo que no cambia

Para tener el balance correcto en nuestras respuestas a Dios, considera lo que puede y no puede cambiar en nuestra relación con Él (ver tabla 1). Esta lista no menciona todos los aspectos de nuestra relación con Dios que pueden o no cambiar. Solo espero que la lista sea lo suficientemente larga como para explicar cómo la gracia de Dios asegura nuestros corazones en Él, incluso mientras trata nuestro pecado con Su gracia.

Por qué la certeza puede cambiar

Con todo, puede que parezca extraño ver (en medio de una tabla en un libro que explica cómo nuestra seguridad de la gracia de Dios nos motiva y capacita para obedecer) que nuestro pecado puede afectar nuestra certeza de Su amor. Pero esto se tiene que decir: la certeza sobre la misericordia y el perdón de Dios aplica para los que le aman (Ro 8:28). Y la Biblia nunca define el amor como dar por sentados la gracia y el perdón de Dios para traicionarlo.

Si persistimos en el pecado sin tener remordimiento ni arrepentimiento, hay poco fundamento bíblico para afirmar que la gracia de Dios se aplica a nosotros (Ro 6:1-2; Heb 10:26-27). Es cierto que Él nos ama a pesar de nuestra rebeldía, pero si la rebeldía es una costumbre para nosotros, tendremos poca certeza en nuestro corazón (en cuanto a lo que sentimos, no en cuanto a la verdadera condición que solo Dios conoce). El dolor por el pecado, el arrepentimiento por nuestra traición y la tristeza por el daño que hemos hecho son evidencias de la presencia del Espíritu Santo en nuestro corazón (Ef 4:30; Stg 4:8-10). Si no los estamos experimentando, tendremos poca certeza personal, independientemente del amor perseverante de Dios por nosotros.

La certeza del dolor

No podríamos dolernos por el pecado ni preocuparnos por nuestra relación con Dios si nuestros corazones no hubieran sido transformados por la gracia (Ro 8:5; 1Co 2:14). Los corazones que no han sido tocados por el Espíritu no desean Su presencia, sino que en cambio odian Sus caminos y están endurecidos en contra de Su amor. En nuestros tiempos de duda, el dolor por haber traicionado y entristecido al Dios que nos ama es la certeza que tenemos de que el Espíritu está en nosotros, lo cual es una misericordia extraña y especial a la vez.

La preocupación genuina de que nuestro pecado nos ha privado del cuidado de Dios debería hacer que nos regocijemos, ya que esa preocupación en realidad es evidencia del cuidado de Dios, una señal de que hay vida espiritual en nosotros. Es el primer paso hacia el arrepentimiento bíblico que restaura nuestra comunión con Dios.

Los límites del arrepentimiento

Aquí es importante notar que lo que se restaura es nuestra *comunión* —el compañerismo diario, cercano y amoroso con Dios— no nuestra *relación*. De nuevo, es importante resaltar que nuestra relación no cambia, aun cuando nuestro arrepentimiento por los pecados específicos no ha ocurrido o no es completo. Seguimos siendo hijos de Dios aun cuando nos hemos ido al país lejano de la rebeldía o la apatía espiritual (Lc 15:11-32). Mientras no nos arrepintamos, puede que no tengamos una certeza personal de esa relación, pero eso no significa que la relación se haya disuelto.

El arrepentimiento no determina la relación. La continuidad de nuestra relación con Cristo no se ve afectada por nuestro arrepentimiento diario. Aquí *no* me estoy refiriendo al arrepentimiento que ocurrió cuando confesamos inicialmente nuestra necesidad de Cristo. En ese momento, odiamos y confesamos nuestro pecado, nos alejamos de Él para acudir a Dios y pusimos nuestra fe en la obra de Cristo a nuestro favor, recibiendo Su gracia, tomando la decisión de andar por Sus caminos y descansar en Su provisión ahora y por la eternidad. En ese mismo momento, Dios nos declaró perdonados, purificados, adoptados y unidos a Cristo para siempre.

Dios establece una relación familiar con nosotros en el momento en que nos arrepentimos por primera vez. Desde ese momento nos declara Sus hijos, nos viste con la justicia de Cristo y nos sienta al lado de Él (Ef 1:13; 2:6; 5:1). Esa posición en la familia no se pone en riesgo por causa de la calidad de mi arrepentimiento en el día a día. Dios no está reteniendo Su gracia por no haberme acordado de arrepentirme de ciertos pecados, por no saber que debía arrepentirme, por no confesar algunos adecuadamente, por no renunciar por completo a algunos después de haberlos confesado, o por los pecados que he repetido después de haberlos confesado y de haberme apartado. No dejo de ser hijo de Dios porque sea un hijo problemático.

Aquí debemos hablar sobre un error común, y es que muchos piensan que pueden ganarse el perdón de Dios. A algunos de nosotros nos han enseñado a hacer oraciones de arrepentimiento diario (pedir perdón por las fallas y debilidades en nuestro caminar diario con Cristo) usando las palabras de 1 Juan 1:9: "Si confesamos nuestros pecados, Dios, que es fiel y justo, nos los perdonará y nos limpiará de toda maldad". Ya que esto es cierto, ¿no se supone que lo contrario también es cierto (es decir, que si no confesamos nuestros pecados, Dios no los perdonará)? La respuesta a esta pregunta debe ser un fuerte: *¡NO!* De ser así, todos estamos en grave peligro.

No estoy diciendo que el arrepentimiento diario sea innecesario. Es necesario para experimentar las bendiciones de tener un corazón parecido al de Cristo. Pero el arrepentimiento diario no determina la esencia de nuestra relación con Dios. Nuestra confesión no tiene el propósito de convencer a Dios de nuestro remordimiento, ni de cumplir los requisitos para obtener Su gracia. Más bien, la confesión bíblica se trata de buscar humildemente el descanso que Su gracia ya ha provisto por medio de Cristo. Similarmente, el arrepentimiento no se trata de ganarse la gracia sino de entrar en ella; no se trata de aplacar Su ira sino de silenciar las acusaciones de nuestros corazones; no se trata de desatar Su misericordia sino de entregar nuestra tristeza al Salvador, quien se regocija al recibirla. Verlo de otra manera es andar por un camino peligroso.

El arrepentimiento no produce perdón. Si el amor actual de Dios o Su perdón eterno dependiera de la presencia o la calidad de nuestro arrepentimiento, todos estaríamos en terrible peligro. Ya que nuestros corazones y entendimiento siguen siendo imperfectos, seguimos ciegos ante los pecados que solo veremos cuando seamos más maduros, si es que logramos verlos en esta vida (Sal 19:12).

Y si el perdón completo de los pecados que sí vemos requiere un arrepentimiento completo y apropiado, ninguno de nosotros está completamente perdonado. Ninguno se ha arrepentido de una forma tan completa, tan profunda ni tan plena como lo demanda un Dios santo. ¿Significa esto que no somos completamente perdonados? No. Estamos muertos al pecado y vivos en Cristo —unidos a Él, escondidos en Él y completamente puros por la fe en Su sangre, no por fe en la suficiencia de nuestro arrepentimiento (Ro 6:10-11; 1P 3:18).

Las bendiciones del arrepentimiento

Entre más nos arrepentimos, más barreras derribamos en nuestra comunión con Cristo y más nos alegraremos por el perdón que Él ya ha asegurado para nosotros. El perdón es el océano que ya nos rodea cuando lanzamos nuestras oraciones de arrepentimiento a Dios. No fabricamos el océano con nuestro arrepentimiento, sino que navegamos en la paz que proveen sus aguas infinitas.

No nos ganamos el perdón con nuestro arrepentimiento, sino que este último nos permite experimentar la paz de ser perdonados. Los que han confiado en Cristo ya están completamente, y eternamente, vestidos con Su justicia (Gá 3:27; Col 3:4). Ahora nuestro Dios es "por nosotros"; todos Sus tratos hacia nosotros surgen de un corazón que funciona "por gracia"; el *perdón* es el deseo de que *la gracia* bendiga el alma de otro (Ro 8:32). Significa que incluso cuando experimentamos las consecuencias de nuestro pecado bajo la disciplina divina, no somos menos perdonados. Las intenciones de Dios siguen siendo motivadas plenamente por la gracia. Él solo desea y nos da lo que es mejor para nosotros y para nuestra comunión con Él.

El perdón y la absolución. Pero ¿cómo podemos creer que Dios nos perdona completamente por las fallas pasadas, presentes y futuras y, al mismo tiempo, creer que habrá consecuencias por nuestro pecado? La respuesta es que el perdón no es lo mismo que la absolución. El perdón es la provisión de gracia que anula las barreras relacionales entre nosotros y Dios. La absolución es la eliminación de las consecuencias del pecado. Como Dios perdona, desea solo lo que es mejor para la vida espiritual del culpable. Como Dios desea lo que es bueno para nosotros y para aquellos que nos rodean, tal vez no nos absuelva de todas las consecuencias terrenales de los pecados que ya perdonó eternamente. Esto significa que puede perdonar completamente el pecado del asesino y de todas formas exigir que vaya a la cárcel.

Todos los creyentes experimentan el perdón eterno por sus pecados, pero la gracia demanda que a veces las consecuencias sean permitidas en esta vida para alejarnos de mayores pecados y peligros (Ef 4:28; 6:4; 2Ts 3:10). El perdón de Dios sigue siendo real y sigue librándonos de nuestra culpa, pero la absolución de las consecuencias temporales sigue estando sujeta a Su sabiduría, misericordia y justicia, ya que Él determina lo que es mejor para nuestro bien espiritual y social.

La gracia captura y controla. La gracia siempre está a la vista. La gracia asegura nuestra relación con Dios a pesar de nuestro pecado. La gracia mantiene nuestro perdón a pesar de las deficiencias en nuestro arrepentimiento. La gracia filtra las consecuencias del pecado para protegernos de daños espirituales. Cuando captura nuestro corazón, nos controla y nos lleva a amar y servir al Dios que nos da provisiones generosas, amorosas y perdurables de gracia.

Finalmente, el propósito divino de nuestro arrepentimiento diario es que seamos sensibles al amor generoso y perdurable de Dios. Cuando nos arrepentimos, recordamos lo grande que es Su amor por nosotros y que el pecado es una gran traición hacia Él. Nuestro arrepentimiento no nos hace merecedores de Su favor, sino que expresa nuestro desprecio por nuestro propio pecado y el deseo que tenemos de alejarnos de él para caminar más cerca de Dios. Al confesar nuestro pecado, Él siempre es fiel para perdonarlo. Pero nuestro objetivo no es asegurar Su fidelidad; más bien, es asegurar nuestra fidelidad.

Muchas personas dejan de confesar su pecado porque no tienen esperanza de que algún día dejarán de pecar. Concluyen que Dios se va a cansar de sus confesiones repetidas. A esas personas debemos decirles: "Sigue confesando". El Señor no se va a cansar del débil y el cansado que acude a Él. Su gracia es demasiado grande. En cambio, si somos fieles en confesar nuestro pecado, Él siempre es fiel para seguir perdonándonos.

Además, Dios usará nuestras confesiones diarias, persistentes y constantes para formar un desprecio creciente por nuestro pecado, para que tengamos que expulsarlo de nuestra vida (tal como lo demanda el arrepentimiento de un creyente maduro). Si confesamos nuestro pecado fielmente y después pecamos de nuevo, debemos confesarlo otra vez y otra vez y otra vez hasta que a nuestra alma le repugne cualquier cosa que se interponga entre nosotros y el Dios que nunca se cansa de recibirnos.

La confesión es buena para el alma, incluso si necesitamos hacerlo una y otra vez por el mismo pecado. La repetición de un pecado no es una razón para dejar de confesarlo. El que nos insta a perdonar setenta veces siete tiene la resistencia de corazón para escuchar muchas más de nuestras confesiones (Mt 18:22). Cuando acudimos regularmente a Dios clamando por Su gracia paciente y perseverante, aumenta tanto nuestro amor por Él como nuestro odio hacia el pecado, y esa es la dinámica del corazón de la victoria espiritual.

Notas de texto

1 He escuchado varias adaptaciones de esta historia atribuidas a San Anselmo, a Francisco de Asís y a Bernardo de Claraval. No he podido encontrar la fuente de la historia como la cuento aquí, pero podría derivarse de un pasaje en Bernardo de Claraval, *On Loving God* [*Sobre el amor a Dios*], cap. 3; ver http://www.ccel.org/ccel/bernard /loving_god.v.html.

2 W. H. Auden, "For the Time Being: A Christmas Oratorio" ["Por ahora: Un oratorio de Navidad"], en *The Collected Poetry of W. H. Auden* [*Colección de poesías de W. H. Auden*] (Nueva York: Random House, 1945), 459.

3 Thomas Chalmers, *Sermons and Discourses* [*Sermones y discursos*] (Nueva York: Carter, 1844), 2:271.

4 Reverendo Maake Masango, quien fue moderador de la iglesia presbiteriana en Sudáfrica, como se lo relató a Stanley Green (sudafricano), presidente del Congreso Menonita de Misiones, citado en James R. Krabill, "Fainting to the Tune of 'Amazing Grace'" [Desmayado ante el sonido de una 'Sublime gracia'], *Keep the Faith/Share the Peace* [Mantén la fe/Comparte la paz] 5, nº. 3 (junio de 1999): 1-2. Para confirmar la historia, ver "Storytelling (Van der Broek and the Truth and Reconciliation

Commission)" ["Narración oral (Van der Broek y la Comisión para la Verdad y la Reconciliación"], *Geoff's Shorts* [*Historias cortas de Geoff*] (blog), 28 de octubre de 2011, http://geoffsshorts.blogspot.com/2011/10/storytelling-van-der-broek-and-truth.html; también Philip Yancey, respuesta a Richard Cronin, 8 de agosto de 2013 (3:25 a.m.), comentario sobre "Happy Birthday, Nelson Mandela" ["Feliz cumpleaños, Nelson Mandela"], *Philip Yancey* (blog), 19 de julio de 2013, http://philipyancey.com/happy-birthday-nelson-mandela.

5 Adaptado del Catecismo de Heidelberg, P. 86.

6 Sidney Greidanus, *Sola Scriptura: Problems and Principles in Preaching Historical Texts* [*Sola Scriptura: Problemas y principios al predicar textos históricos*] (Toronto: Wedge, 1970).

7 Ver Bryan Chapell, *La predicación Cristocéntrica: Rescatando el sermón expositivo* (Medellín, Colombia: Poiema Publicaciones, 2019), 54-62.

8 C. S. Lewis, *The Problem of Pain* [*El problema del dolor*] (Nueva York: Macmillan, 1962), 128.

9 John Piper, *The Romantic Rationalist: God, Life, and Imagination in the Work of C. S. Lewis* [*El racionalista romántico: Dios, la vida y la imaginación en la obra de C. S. Lewis*] (Wheaton, IL: Crossway, 2014), 152.

10 Francis Scott Key, "Lord with Glowing Heart I'd Praise Thee" ["Señor, te alabo con un corazón radiante"], 1817.

Índice temático

Índice de las Escrituras

COALICIÓN POR EL EVANGELIO es una hermandad de iglesias y pastores comprometidos con promover el evangelio y las doctrinas de la gracia en el mundo hispanohablante, enfocar nuestra fe en la persona de Jesucristo, y reformar nuestras prácticas conforme a las Escrituras. Logramos estos propósitos a través de diversas iniciativas, incluyendo eventos y publicaciones. La mayor parte de nuestro contenido es publicado en www.coalicionporelevangelio.org, pero a la vez nos unimos a los esfuerzos de casas editoriales para producir y colaborar en una línea de libros que representen estos ideales. Cuando un libro lleva el logo de Coalición, usted puede confiar en que fue escrito, editado y publicado con el firme propósito de exaltar la verdad de Dios y el evangelio de Jesucristo.

TGC | COALICIÓN

El Evangelio
¡para cada rincón de la Vida!

La palabra POIEMA viene del griego (POY-EMA). Se refiere a una obra creada por Dios. Es la raíz de nuestra palabra *poema*, que sugiere un sentido artístico, no a una simple fabricación. Pablo dice:

"Porque somos la obra maestra (POIEMA) de Dios, creados de nuevo en Cristo Jesús..."
Efesios 2:10

El propósito de Poiema Publicaciones es reflejar la imagen de nuestro Creador mediante la publicación de libros centrados en el evangelio, de alta calidad, accesibles, agradables y pertinentes al mundo caído en el que vivimos. Dios nos invita a tomar parte de la redención de toda Su creación en Jesús.

En Poiema Publicaciones sentimos un llamado a que nuestra lectura ¡también sea redimida!